O Grande Mago do Norte

EVA IBBOTSON

O Grande Mago do Norte

Tradução de
Maria de Fátima Morgado

EDITORIAL PRESENÇA

FICHA TÉCNICA

Título original: *Which Witch?*
Autor: *Eva Ibbotson*
Copyright © Eva Ibbotson 1979
Tradução © Editorial Presença, Lisboa, 2002
Tradução: *Maria de Fátima Morgado*
Capa: *Lupa Design — Danuta Wojciechowska*
Composição, impressão e acabamento: *Multitipo — Artes Gráficas, Lda.*
1.ª edição, Lisboa, Fevereiro, 2002
Depósito legal n.º 175 205/02

Reservados todos os direitos
para Portugal à
EDITORIAL PRESENÇA
Estrada das Palmeiras, 59
Queluz de Baixo
2745-578 BARCARENA
Email: info@editpresenca.pt
Internet: http://www.editpresenca.pt

Para Alan

1

No exacto momento em que ele nasceu, o Sr. e a Sr.ª Canker
perceberam que o seu bebé não era como os outros.

Em primeiro lugar, porque nasceu com os dentes todos. Passava
dias a fio deitado no berço, a roer enormes ossos de carneiro até os
fazer em pedaços ou então divertia-se a puxar os narizes das velhi-
nhas suficientemente tolas para tentarem beijá-lo. A segunda razão
tinha a ver com o facto de, apesar de chorar de zangado quando
lhe trocavam a fralda, os olhos dele nunca se enchiam de lágrimas.
Além disto — e este é talvez o facto mais estranho — no dia em
que veio da maternidade, acenderam a lareira da sala de estar e o
fumo começou a mover-se ao contrário do sentido do vento.

Durante algum tempo, os Canker sentiram-se bastante con-
fusos. Mas, tal como o Sr. Canker disse, há livros sobre *tudo*, só
temos de saber onde procurar. Então, um dia, foi até à Biblioteca
Pública de Todcaster e começou a ler. Leu, leu e leu mais ainda.
Lia principalmente sobre Magia Negra e Feitiçaria e sobre como
distinguir, desde muito cedo, se alguém iria ser feiticeiro. Depois,
foi para casa e deu a notícia à Sr.ª Canker.

Ela ficou chocada, claro. Ninguém *gosta* de pensar que o filho
se vai transformar num feiticeiro quando crescer e que, como se
tal não bastasse, se vai dedicar à magia negra. Mas os Canker eram
pessoas sensatas. Mudaram o nome da criança. Em vez de
George, passou a chamar-se Arriman (nome de um mago persa
tão famoso quanto malvado). Pintaram um friso com morcegos
e línguas de salamandra nas paredes do quarto dele e decidiram
que, já que se ia transformar num feiticeiro, o melhor era pro-
curarem que fosse o melhor de todos.

Não era fácil. Todcaster, a cidade onde viviam, era um lugar
vulgar, cheio de pessoas vulgares. Apesar de encorajarem o jovem
Arrimam a praticar o mais possível, era um pouco embaraçoso
terem o comedouro dos pássaros sempre cheio de abutres tristes
e derreados e terem de explicar aos vizinhos por que razão a
macieira se tinha tornado, de um dia para o outro, num cepo ene-
grecido, parecido com a mão de um morto.

Felizmente, os feiticeiros crescem depressa. Aos quinze anos, Arriman ia de autocarro até ao terreiro de Todcaster e provocava um vendaval que fazia voar quase até Jericó todos os pares de cuecas pendurados nas cordas de secar roupa. Pouco tempo depois, decidiu sair de casa e formar o seu próprio lar.

A procura de uma nova casa demorou muitos meses. Arriman não queria um lugar ensolarado e alegre, nem um lugar que ficasse muito perto da cidade e, apesar de querer um lugar isolado e em ruínas, era bastante esquisito quanto ao tipo de fantasma que aí habitava. Como nunca tinha tido irmãs, Arriman sentia-se envergonhado à frente das mulheres e não lhe agradava nada a ideia de ter uma Senhora das Trevas a pavonear-se à mesa do pequeno-almoço enquanto comia os seus arenques, nem tampouco uma Freira Descabeçada a meter-se com ele enquanto tomava banho.

Finalmente encontrou Darkington Hall. Era um edifício grande, triste e cinzento, a cerca de cinquenta quilómetros de Todcaster. A oeste da casa ficava uma floresta sinistra; a norte, estendiam-se pântanos desolados e açoitados pelo vento e a este o mar cinza, batendo sem parar. Para sua grande felicidade, o fantasma de Darkington era um cavalheiro e uma daquelas pessoas com quem Arriman se achava capaz de se dar bem: Sir Simon Montpelier, que no século XVI tinha assassinado as suas sete mulheres e agora vagueava pela casa gemendo de culpa, suspirando de tristeza e batendo na testa com um som de salpico.

Arriman viveu aqui durante muitos anos, encantando e enfeitiçando, soprando e suspirando e fazendo o impossível para manter as trevas e a feitiçaria bem vivas à face da terra. Encheu as ameias com mochos e as caves com salamandras. Ladeou a alameda com troços de árvore ressequidos a imitarem forcas e escavou um poço no quintal no qual o enxofre fervia pavorosamente. Plantou um labirinto de teixos tão complicado que ninguém tinha esperança de sair de lá com vida e fez as fontes do terraço deitarem sangue. Havia apenas uma coisa que não conseguia fazer. Não conseguia trazer o fantasma de Sir Simon Montpelier à vida. *Gostaria* de o fazer; Sir Simon seria talvez uma boa companhia. Mas trazer fantasmas de volta à vida era a mais negra e mais difícil das magias e nem mesmo Arriman conseguia pô-la em prática.

Os anos passaram. Apesar de raramente sair de Darkington, a fama de Arriman espalhara-se. Chamavam-lhe Arriman, o Horrível, O que Odeia a Luz ou o Grande Mago do Norte. Começaram a contar-se histórias sobre ele: dizia-se que conseguia fazer os trovões aparecerem antes dos relâmpagos e que era amigo do próprio Belzebu. Mas Arriman continuava a trabalhar sem ligar a estes ditos. Tinha-se tornado um homem alto e bonito, com uns brilhantes olhos negros, um nariz curvado como a proa de um navio *viking* e um farfalhudo bigode. Apesar do bom ar, não era de todo vaidoso.

Nos anos que se seguiram, foi constituindo o seu jardim zoológico privado, no qual mantinha os animais mais feios e mais repelentes que conseguia encontrar: macacos de cara rapada e traseiros azuis, camelos com lábios escarninhos e joelhos inchados, cangurus miniatura, com pés que mais pareciam vigas de caminho-de-ferro e que davam fortes pontapés a quem quer que estivesse ao seu alcance. Transformou a Sala de Bilhar num laboratório no qual ao longo de todo o dia borbulhavam coisas diabólicas, que deixavam no ar cheiros pavorosos e chamava as nuvens que pairavam sobre o mar, para virem largar implacavelmente a sua chuva sobre o telhado.

Um dia, acordou muito triste. Sabia que teria de se levantar e atirar·alguém para dentro do poço ou encomendar uma ema para o jardim zoológico ou misturar no laboratório alguma coisa venenosa, mas não conseguia fazer nenhuma destas coisas.

— Lester — disse ao criado que lhe tinha trazido o pequeno-almoço, — sinto-me cansado. Desgastado. Aborrecido.

Lester era um ogre; um homem enorme, de movimentos lentos e músculos parecidos com bolas de futebol. Tal como a maioria dos ogres, tinha apenas um olho no centro da testa e para não impressionar as pessoas, usava uma pala negra para dar a ideia de que tinha dois olhos. Antes de se tornar criado de Arriman, Lester fora engolidor de espadas numa feira e ainda gostava de meter um sabre ou uma espada pela boca abaixo. Era algo que o acalmava.

Agora, olhava o patrão com ansiedade.

— Sente, Senhor? — perguntou.

— Sim, sinto. Na verdade, não sei se consigo continuar por muito mais tempo. Acho que devia ir a qualquer lado, Lester. Alugar um quarto numa qualquer aldeiazinha e escrever um livro.

11

O ogre estava chocado.

— Mas o que acontecerá ao Mal e às Trevas, Senhor?

Arriman franziu o sobrolho.

— Eu sei, eu sei. Tenho um dever a cumprir, bem o sei. Mas durante quanto tempo terei de continuar assim? Por quanto tempo Lester? — Franziu o sobrolho ainda mais e ergueu os braços em desespero. — Por quanto tempo?

Lester não era um daqueles ogres estúpidos que passam o tempo pelos cantos a dizer «Fa Fi Fo Fum». Por isso, olhou para o amo e disse:

— Eu não sei dizer, Senhor. Os Ogres não são capazes de prever o futuro. As ciganas, sim. Por que é que não vai a uma que lhe leia a sina? No sítio onde trabalhei havia uma cigana. Chamavam-lhe Esmeralda. Ela sabia da coisa, ó se sabia.

Assim, na semana seguinte, Arriman e Lester viajaram até Todcaster, para irem à feira.

Encontraram facilmente a caravana de Esmeralda. Era fácil distingui-la das outras caravanas de ciganos, porque as pessoas que de lá saíam tinham o ar de quem não sabe bem o que lhes aconteceu.

— Ela diz a verdade — explicou Lester, fungando de felicidade, à medida que recordava os cheiros da feira: cebolas fritas na banca de hambúrgueres, óleo quente nos carrinhos de choque…

— Nada desses disparates sobre estranhos vestidos de negro e viagens a atravessar o mar.

Esmeralda era uma senhora com cabelo encaracolado e tinha vestida uma blusa de cetim cor-de-rosa. Arriman tirara o manto de feiticeiro e vestira um fato cinzento de risca-de-giz, mas ela olhou-o de forma muito acutilante.

— Para si, são cinco notas — disse. — Sente-se.

Meteu o dinheiro no bolso, deu um gole numa garrafa que tinha um rótulo com as palavras *Gordon's Gin* e começou a olhar fixamente a bola de cristal.

Fixou-a por muito tempo. Depois, empurrou a bola para longe e acendeu um cigarro.

— Está tudo em ordem — disse — Ele está a chegar.

— Quem? — perguntou Arriman com ansiedade. — Quem está para chegar?

— O novo mago — respondeu Esmeralda. — Aquele que vai substituí-lo.

Arriman estava desorientado.

— Que novo mago?

Esmeralda fechou os olhos enfadada.

— Quer que eu lhe faça um desenho? — Fez uma voz afectada e disparou: — Muito em breve vai chegar o novo Grande Mago, cujo poder será mais forte e mais negro que o seu. Quando este novo Grande Mago chegar, você, Arriman, o Horrível, poderá descansar o fardo do Mal e das Trevas que há tanto tempo carrega consigo. — Abriu os olhos. — Percebeu tudo? — perguntou com malícia.

— Claro, claro! — exclamou Arriman muito contente. — Imagino que não saiba *quando* ele chega?

— Não — retorquiu Esmeralda asperamente —, não sei. O cliente que se segue, se faz favor.

Depois da visita a Esmeralda, Arriman era um homem feliz. Para passar o tempo plantou uma sebe de silvas, cujos espinhos gotejavam sangue, fez afundar um petroleiro junto aos penhascos e inventou uma nova magia para fazer cair o cabelo das pessoas. Mas a maior parte do tempo era passada junto ao portão principal, a vigiar a chegada do novo feiticeiro.

Era uma tarefa enregelante. Darkington Hall ficava muito a Norte, quase em cima da fronteira com a Escócia e quando, uma semana depois, Arriman descobriu uma frieira no dedo grande do pé esquerdo, tomou uma decisão muito sensata e decidiu fazer um Vigilante Mágico.

Para o corpo usou a forma de um leão-marinho, mas maior e mais peludo, com um peito descaído, que dava vontade de abraçar. O Vigilante Mágico tinha quatro pés e uma cauda, três cabeças com olhos vivos e bonitos, encastrados numas hastes curtas. Todos os dias, ao nascer do Sol, este monstro simpático e bastante útil, bamboleava-se pela avenida, passando pelas árvores escurecidas, em forma de forcas, pelo poço gotejante e o labirinto diabólico e ia sentar-se ao portão, à espera do feiticeiro.

Dia após dia, mês após mês, ano após ano, era assim que fazia o seu trabalho. A Cabeça do Meio vigiava o norte, por cima dos

13

pântanos, a Cabeça da Esquerda, olhava para oeste, através da floresta e a Cabeça da Direita observava para este, em direcção ao mar. Então, depois de novecentos e noventa e nove dias ali sentado, o Vigilante Mágico perdeu o ânimo e tornou-se tristonho e aborrecido.

— Ele não vem do norte — disse a Cabeça do Meio, tal como fizera nos novecentos e noventa e oito dias anteriores.

— Também não vem do oeste — afirmou a Cabeça da Esquerda.

— E muito menos do este — acrescentou a Cabeça da Direita. — E os nossos pés estão *gelados*.

— Os nossos pés estão quase a cair de tão gelados — retorquiu a Cabeça da Esquerda.

Fez-se uma pausa.

— Sabem o que eu acho? — perguntou a Cabeça do Meio.
— Acho que o velhote foi levado.

— Achas que não vai chegar *algum* feiticeiro? — inquiriu a Cabeça da Esquerda.

A Cabeça do Meio assentiu com a cabeça.

Desta vez a pausa foi muito maior.

— Não me apetece nada dizer-lhe — disse finalmente a Cabeça da Direita.

— Alguém vai ter de o fazer — afirmou a Cabeça do Meio.

Em seguida, o monstro virou-se e encaminhou-se para a casa, onde foi encontrar Arriman no quarto, a vestir-se para o jantar.

— Então — perguntou, ansioso. — Qual é a novidade?

— O novo mago não vem do norte — começou a Cabeça do Meio pacientemente.

— Também não vem do oeste — acrescentou a Cabeça da Esquerda.

— E pode esquecer o este — disse a Cabeça da Direita —, porque o novo mago também não vem de lá.

Então, falando todas ao mesmo tempo, as três cabeças disseram corajosamente:

— Achamos que vos levaram no bote.

Arriman fixou os olhos nelas, agastado.

— Não podem estar a falar a sério! É impossível! — Virou-se para Lester, que se estava a preparar para aparar o bigode do amo. — Que te parece?

O ogre coçou a testa, por debaixo da pala do olho. Parecia preocupado.

— Nunca ouvi dizer que Esmeralda tivesse cometido um erro. Mas já passou tanto tempo...

Foi interrompido por um grito lancinante, dado por Arriman, que estava a olhar para o espelho, agarrado à cabeça.

— Um cabelo branco! — gritou o mago. — Um cabelo branco na minha madeixa dos feitiços! Ó Sombras das Trevas e da Perdição, isto é o FIM!

O grito de Arriman fez o Sr. Leadbetter, o secretário, entrar a correr no quarto. O Sr. Leadbetter nascera com uma pequena cauda que o fazia pensar ser um demónio. Era uma ideia tola, já que muitas pessoas nascem com pequenas caudas. O próprio Duque de Wellington tinha uma e até teve de mandar fazer um buraco especial na sela, quando foi para a Batalha de Waterloo. Mas o Sr. Leadbetter não sabia nada do Duque de Wellington e perdeu um tempo imenso a tentar roubar bancos e coisas do género, até que compreendeu que o crime não era para ele e se tornou secretário de Arriman.

— Está tudo bem, Senhor? — perguntou, ansioso. — Parece perturbado.

— Perturbado? Eu estou acabado! *Arruinado*. Não sabes o que significa um cabelo branco? Significa velhice, morte. Significa o fim da Feitiçaria, das Trevas e da Perdição em Darkington. E onde está o novo feiticeiro, onde, *onde?*

O monstro suspirou.

— Ele não vem do norte — começou, enfastiada, a Cabeça do Meio.

— Eu sei que ele não vem do norte, sua idiota — retorquiu asperamente o Grande Homem. — É exactamente disso que me estou a queixar. Que hei-de *fazer?* Não posso continuar à espera para sempre.

O Sr. Leadbetter tossiu levemente.

— Já considerou a hipótese de se casar, Senhor?

Repentinamente, saiu fogo das narinas de Arriman e, por detrás do painel, Lorde Simon soltou um gemido profundo.

— Casamento! Eu, casar-me! Estás *louco?*

— Se se casasse, Senhor, a sucessão ficaria assegurada — respondeu calmamente o Sr. Leadbetter.

— De que diabos estás tu a falar? — perguntou Arriman, que se estava a sentir muito triste e, consequentemente, irritado.

— Ele quer dizer que poderia ter um feiticeiro bebé, Senhor. Ele podia suceder-lhe. Um filho, Senhor — explicou Lester.

Arriman ficou em silêncio. Um filho. Por um momento imaginou o bebé sentado no berço, uma criaturinha pequena a despedaçar enormes ossos de carneiro. Depois contraiu-se.

— Com quem hei-de casar-me? — murmurou com tristeza.

Todos eles sabiam, claro. Só há um tipo de pessoa com quem um feiticeiro se pode casar e essa pessoa é uma feiticeira.

— Talvez não fosse assim tão mau — disse a Cabeça da Esquerda em tom encorajador.

— Talvez não fosse mau! — gritou Arriman. — Estás doida, ou quê? Uma mulher enorme, feia e velha, com verrugas e bolhas nos sítios mais impossíveis de mencionar, por causa da vassoura com que se passeia por aí? Queres que eu me sente frente a uma *coisa dessas* todas as manhãs, para comer os meus cereais?

— Parece-me que as feiticeiras já mudaram um pouco — começou o Sr. Leadbetter.

Mas Arriman não o escutava.

— A correr pelos corredores com uma camisa de noite horripilante, a gritar e a agitar os braços, a ficar com restos de ovo nos bigodes, a querer que o gato durma na cama com ela!

— Talvez não, Senhor.

— Todas as vezes que entrasse na cozinha, ela estaria lá a mexer coisas numa panela nojenta, línguas de sapos inúteis, olhos de salamandra — e a dizer todas aquelas coisas sem sentido. Depois de ela chegar nunca mais haveria um bocado de carne decente cá em casa.

— Mas...

— Lavar os dentes amarelos e estragados no meu lavatório — retorquiu Arriman com irritação, ficando cada vez mais histérico. — Ou ainda pior, *não* lavar os dentes no meu lavatório.

— Podia ter uma casa de banho só para ela — comentou sensatamente a Cabeça do Meio.

Mas nada conseguia fazer parar Arriman, que continuou a vociferar enfurecido durante mais dez minutos. Depois, tendo ficado repentinamente calmo e pálido, disse:

— Está muito bem, vejo que é esse o meu dever.

16

— Sensata decisão, Senhor — afirmou o secretário.

— Como hei-de escolher? — perguntou Arriman. A voz dele era um mero sopro. — Acho que terá de ser uma feiticeira de Todcaster. Caso contrário, isso poderá gerar ressentimentos. Mas como decidimos qual delas escolher?

— Quanto a isso, Senhor — disse o Sr. Leadbetter —, tenho uma ideia.

2

As feiticeiras de Todcaster estavam a preparar-se para uma reunião de feiticeiras e estavam muito excitadas. Estas reuniões são para as feiticeiras o que os Escuteiros e as Guias são para as pessoas: uma maneira de se juntarem e fazerem as coisas que lhes interessam. E esta não era mais uma das suas reuniões comuns com comida, danças e malandrices. Corriam rumores de que seria feito um importante anúncio.

— Gostava de saber o que é — disse Mabel Wrack. — Um novo membro, talvez. Fazia-nos jeito.

Esta era uma grande verdade. Todcaster já só tinha sete feiticeiras dignas desse nome. Se Arriman tivesse conhecimento do estado a que a feitiçaria tinha chegado na sua cidade, ter-se-ia sentido ainda mais triste que antes. Felizmente, nada sabia.

Durante o dia, a Menina Wrack trabalhava na sua peixaria, não muito longe do porto de Todcaster. Era uma feiticeira do mar e não gostava de estar muito longe da água. A mãe dela, a Sr.ª Wrack, fora uma sereia: uma sereia verdadeira, que passava a vida sentada numa rocha a cantar e a pentear os cabelos. Mas os marinheiros nunca tinham sido seduzidos pelos seus encantos, em parte porque ela se parecia com a parte de trás de um autocarro e também porque os navios modernos são tão altos, que eles nunca a conseguiam ver. Portanto, um dia, ela simplesmente bamboleou-se para a praia com alguns soberanos recolhidos de um galeão afundado e convenceu um cirurgião plástico, que ali estava a passar férias, a operar-lhe a cauda e transformá-la em duas pernas.

Mabel Wrack herdou os poderes mágicos da mãe. Do pai, o Sr. Wrack, herdou a peixaria.

Hoje fechou as persianas mais cedo, pôs algumas cabeças de bacalhau num saco de papel e partiu para a sua cabana junto ao mar. Estava mesmo a virar para o caminho quando viu um grupo de crianças a brincarem alegremente na rebentação.

— Basta! — exclamou ela, contraindo os lábios. Fechou os olhos, atirou com o saco do bacalhau e declamou um poema.

Quase ao mesmo tempo, um cardume de alforrecas malcheirosas surgiu na água e as crianças desataram a fugir para perto das mães.

— Assim está melhor — exclamou a Menina Wrack. Como a maioria das feiticeiras, ela odiava a felicidade.

Quando chegou a casa, foi directamente para o quarto, onde trocou de roupa. As reuniões são como festas; aquilo que se veste é importante. Para esta, a Menina Wrack pôs um vestido púrpura, com arenques amarelos bordados a ponto de cruz e pôs também o seu melhor pregador — uma simples lesma do mar, encastrada em plástico — na fita que lhe mantinha o cabelo desgrenhado no sítio. Depois foi à casa de banho.

— Vem cá, querida — disse, curvando-se sobre a banheira. — Está na hora de te arranjares!

O habitante da banheira da Menina Wrack era, claro está, o auxiliar dela. Os auxiliares são animais que ajudam as feiticeiras nas suas magias e são *extremamente* importantes. O auxiliar da Menina Wrack era um polvo: um animal grande com tentáculos descorados, ventosas que deixavam marcas onde pousavam e repugnantes olhos vermelhos. Era um polvo fêmea e chamava-se Doris.

— Vá lá, não me faças esperar, querida — avisou a Menina Wrack. Tinha ido buscar um balde plástico ao armário da casa de banho e estava a tentar enfiar Doris dentro dele. — Esta vai ser uma noite importante.

Mas Doris estava com vontade de brincar. Assim que um tentáculo era metido dentro do balde, logo um outro de lá saía. Quando finalmente conseguiu tapar o balde, pô-lo num velho carrinho de bebé e apanhar o autocarro para a reunião das feiticeiras, a Menina Wrack já estava toda ensopada.

O auxiliar de Ethel Feedbag não era um polvo; era um porco.

Ethel era uma feiticeira do campo que vivia numa casinha em ruínas, a oeste de Todcaster. Era uma pessoa bastante simples, de cara redonda, que gostava de dar golpes na beterraba forrageira com uma espada, fazer vinho de pastinaca e pôr estrume em todo o lado. Tal como as pessoas muitas vezes se tornam parecidas com os seus cães (ou vice-versa), assim Ethel se tornara parecida com o seu porco. Ambos tinham bochechas redondas e rosadas e grandes traseiros. Movimentavam-se com lentidão por causa das pernas curtas e finas e grunhiam enquanto caminhavam. Ambos tinham pequenos olhos sonolentos e de cor parda.

Ethel trabalhava na Fábrica de Embalamento de Ovos. Era um trabalho aborrecido, pois a maioria dos ovos que embalava estavam estragados e portanto não havia muito que fazer, mas ela mantinha-se ocupada a dar cascas às ovelhas e a secar a água das vacas, enquanto pedalava a sua bicicleta de regresso a casa, à tardinha. Quanto às plantas entre a Fábrica e a casa de Ethel, poucas havia que não estivessem cobertas de bolor ou ferrugem ou não tivessem bandos de pulgões famintos a sugar-lhes toda a seiva.

Mas hoje ela foi direito a casa. Ethel não se preocupava muito com a roupa, mas para se alindar para a reunião, esfregou as galochas com uma mão-cheia de palha e trocou o avental por outro limpo e decorado com tomates de feltro (o feltro fazia os tomates brilharem) aplicados nos bolsos. Depois procurou alguma coisa que pudesse levar para comer. Não parecia haver nada na cozinha, mas no tapete ao pé da lareira da sala encontrou uma gralha morta, que tinha caído pela chaminé.

— Vai fazer um belo assado! — exclamou Ethel, pegando na gralha. Em seguida, foi à casota ao fundo do jardim buscar o porco.

Nancy e Nora Shouter eram feiticeiras gémeas que trabalhavam na Estação de Comboios de Todcaster. Constituíam um par particularmente desagradável que detestava os passageiros, se detestava mutuamente e detestava comboios. Logo que Nancy anunciava ao microfone a entrada do comboio das sete e cinquenta e dois para Edimburgo na plataforma nove, Nora corria para o *seu* microfone e, cacarejando, informava que o comboio das sete e cinquenta e dois tinha tido um problema no motor e iria chegar com noventa minutos de atraso e não iria para a plataforma nove, mas sim para a cinco, com um bocado de sorte.

Assim, quando deveriam estar a arranjar-se para a reunião das feiticeiras, estavam de pé, em roupa interior, no quarto do apartamento da Rua da Estação, a discutir sobre qual dos auxiliares pertencia a quem.

— Esta é *a minha* galinha! — gritava Nora, puxando as penas da cauda do pobre pássaro.

— Essa *não* é a tua galinha — guinchou Nora. — *Aquela* além é que é a tua galinha!

Era uma discussão absolutamente ridícula. As meninas Shouter eram idênticas, com cabelos pintados de vermelho, narizes compridos e as pontas dos dedos manchadas pelo fumo dos cigarros. Vestiam-se da mesma maneira, dormiam em camas juntas e ambas tinham como auxiliares galinhas que dormiam debaixo das respectivas camas. E as galinhas, está bom de ver, também eram muito parecidas. Acontece frequentemente com as galinhas — pássaros impacientes, de cor castanha, que nos bicam os dedos mal olham para nós. Mas nada disto fazia diferença às gémeas Shouter, que continuaram a implicar uma com a outra durante tanto tempo que se atrasaram para a reunião mais importante das suas vidas.

Há já muitos anos que as feiticeiras de Todcaster se encontravam na charneca de Windylow, um lugar selvagem, cheio de murmúrios, com algumas árvores definhadas e retorcidas, um lago onde uma senhora deprimida se tinha afogado na véspera do casamento e uma única rocha, onde os Antigos Druidas levaram a cabo alguns dos seus terríveis feitos.

Para lá chegarem, as feiticeiras alugaram um autocarro — o *Especial Reunião* — que saía da estação dos autocarros às sete da tarde. (Nenhuma delas voava de vassoura desde que uma feiticeira de nome Hockeridge tinha sido sugada pela turbina de um Boeing 707 que viajava de Heathrow para Istambul e quase causou uma grande trapalhada.)

As gémeas Shouter ainda discutiam quando chegaram à estação dos autocarros, mas pararam quando viram, junto ao autocarro, uma pequena mesa de café castanha.

— É ela outra vez — disse Nancy.

— Velha tonta e feiosa — acrescentou Nora.

— Só me apetece apagar nela o meu cigarro — exclamou Nancy que, como habitualmente, tinha um cigarro a pender dos lábios.

Olharam fixamente a mesa redonda e atarracada, que parecia oscilar de um lado para o outro.

21

— É uma pena quando se tornam tão tolas — comentou Ethel Feedbag, que tinha posto o porco no reboque e pontapeou a perna da mesa com a galocha.

A mesa era de facto uma feiticeira muito velha chamada Maga Bloodwort, que vivia numa choupana em ruínas, junto a uma pedreira desactivada, na parte mais pobre da cidade.

Quando era nova, a Maga Bloodwort tinha sido uma feiticeira extraordinária, uma feiticeira da velha escola, que fazia aparecer pessoas nos caldeirões, lançava mau-olhado aos talhantes que lhe vendiam costeletas cheias de nervos e lançava feitiços aos bebés nos carrinhos para impedir que as mães os reconhecessem.

Agora ela estava velha. A memória falhava e, tal como muitas pessoas idosas, tinha manias. Uma delas era transformar-se numa mesa de café. De nada lhe adiantava, pois não bebia café por este ser demasiado caro e como vivia sozinha, não havia ninguém que pudesse querer pousar uma chávena sobre ela. Mas a Maga Bloodwort era uma velha feiticeira resmungona que ocasionalmente se lembrava do feitiço que fizera transformar a velha com cabelos brancos e bigode que era numa mesa baixa de carvalho, com pernas torneadas e tampo de vidro e então nada a fazia parar. Aquilo de que, com tanta frequência, *não* se lembrava era como inverter o feitiço e voltar ao normal.

— Vá, anda — chamou Mabel Wrack de dentro do autocarro. — Deixa essa velha idiota onde está.

Da mãe sereia Mabel herdara as pernas escamosas que secavam facilmente e lhe davam comichão. Por isso queria chegar rapidamente à Charneca de Windylow, onde o ar era fresco e húmido.

Foi então que algo aconteceu. Dois pardais que estavam a brincar na sarjeta começaram a cantar como se fossem rouxinóis. Um bando de borboletas douradas apareceu vindo não se sabe de onde e, espalhando-se pela suja estação dos autocarros, surgiu o cheiro de prímulas cobertas pelo orvalho da manhã.

— Que nojo! É ela! — exclamou Nancy Shouter. — Vou-me embora. — Atirou a sua galinha para o reboque e subiu para o autocarro.

— Eu também — retorquiu a gémea. — Não a *suporto*! Não sei como permitem a presença dela na reunião. Não sei mesmo.

Belladonna apareceu lentamente na curva. Era uma feiticeira muito jovem, com densos cabelos loiros, dos quais pendia um morcego de orelhas curtas, como uma ameixa seca. Havia sempre *qualquer* coisa no cabelo de Belladonna: um melro ainda com penugem, ali deixado pela mãe enquanto foi caçar minhocas; um esquilo bebé à procura de um lugar seguro para comer as avelãs ou uma borboleta que pensava que ela era uma rosa ou um lírio. O nariz de Belladonna era retorcido na ponta, o que o tornava num peitoril óptimo para as joaninhas descansarem; a testa era alta e luminosa e os olhos azuis como caramujos. À medida que se aproximava do autocarro, parecia ficar mais preocupada e hesitante, pois aprendera a nada esperar das outras feiticeiras que não fosse indelicadeza.

Foi então que viu a mesa de café e imediatamente esqueceu os seus próprios problemas.

— Oh! Pobre Maga Bloodwort! Esqueceu-se outra vez de como desfazer o feitiço? — A mesa começou a baloiçar e Belladonna pôs os braços à volta dela. — Tente pensar — pediu. — Tenho a certeza de que consegue lembrar-se. O feitiço rimava?

A mesa baloiçou com mais força.

— Era? Bem, *estou certa* de que vai lembrar-se rapidamente.

Aproximou a face do tampo de vidro, tentando enviar fluidos positivos ao cérebro cansado da velha feiticeira. — Está a voltar. *Sinto-o* a voltar...

Ouviu-se um assobio, Belladonna caiu para trás e, de repente, apareceu à sua frente uma velha feiticeira vestida com uma capa roída pelos ratos e com chinelos de feltro com os lados cortados.

— Obrigada, minha querida — resmungou a Maga Bloodwort. — És uma boa rapariga, apesar de seres...

Não conseguia pronunciar a terrível palavra — nenhuma feiticeira negra consegue. Então, dirigiu-se a mancar para o autocarro e começou a içar-se com esforço para dentro dele, apertando contra o peito uma enorme lata, com o retrato da Coroação do rei George VI na tampa. A lata *devia* ter ido para o reboque — essa era a regra: todos os auxiliares viajavam separadamente — mas a Maga Bloodwort nunca a deixava longe da sua vista. Dentro dela estavam centenas de enormes larvas brancas que, quando se soprava sobre elas, se transformavam numa nuvem de moscas. *Uma* única mosca de nada serve para a magia, mas uma nuvem delas — moscas no cabelo, nos olhos, no nariz — constituem um belíssimo auxiliar.

Belladonna foi a última a entrar no autocarro. Era a única feiticeira que não tinha auxiliar. A magia branca não precisa deles. Esta era outra das coisas que a fazia sentir-se muito só.

3

Belladonna tinha sempre sido branca. Quando era ainda um bebé pequeno, costumava usar os seus dentinhos de feiticeira para morder as tampas das garrafas de leite para que os chapins-azuis pudessem comer a nata; à medida que foi ficando mais velha a sua brancura piorou. Por onde passava, as flores desabrochavam, belas melodias irrompiam pelo ar e, quando sorria, os velhos lembravam-se dos Natais de quando eram crianças. Quanto ao cabelo — desde os seis anos de idade, altura em que lhe chegou à cintura, que havia sempre *alguém* a descansar nos cabelos doirados de Belladonna.

A própria Belladonna ansiava pela negritude — castigar, destroçar e fazer murchar pareciam-lhe as coisas mais belas do mundo. Mas apesar de ser capaz de curar pessoas, fazer as flores surgir do chão e falar a linguagem dos animais, mesmo a mais simples malfeitoria como, por exemplo, transformar um pepino verde num pudim seboso e escuro, com bocados de gordura, era mais do que ela podia aguentar. Não era por falta de tentativas. Todas as manhãs, antes de ir para o trabalho (era vendedora numa florista), Belladonna punha-se de pé, frente à janela e dizia:

— De dia para dia e de todas as formas possíveis, estou a ficar cada vez mais negra.

Mas não era verdade, e o pior era que tinha de suportar o desdém e o rancor das outras feiticeiras. Belladonna abominava os dias de reunião pois era sempre ignorada e desfeiteada e ainda tinha de confraternizar sozinha, fora do acolhedor círculo de fogo e festividade, apenas com a companhia dos auxiliares. A única razão por que não faltava era porque esperava, um dia, que alguma da magia negra se transmitisse a ela.

O autocarro já tinha saído de Todcaster. Era preciso ainda apanhar uma feiticeira pelo caminho. Era uma feiticeira magra, pálida, a quem as outras chamavam Monalot por causa de uma senhora que estava sempre a queixar-se num programa de rádio. O verdadeiro nome de Monalot era Gwendolyn Swamp e tocava harpa na Palm Orchestra de Todcaster. A Menina Swamp descendia de uma família de fadas irlandesas, as *banshees,* as que andam pelos sítios a gemer e a suspirar e dizem às pessoas que algo de mau está para acontecer. As fadas irlandesas nunca foram muito saudáveis e Monalot estava doente com tanta frequência que, para que pudesse estar presente na reunião, o autocarro parava especialmente à porta dela.

— Ela não está ao portão — exclamou Mabel Wrack, com impaciência. O ar condicionado do autocarro estava a provocar-lhe uma comichão insuportável nas pernas.

Então, Belladonna, que era sempre quem levava as mensagens e fazia os recados às outras, desceu do autocarro e atravessou o jardim da *villa* de Monalot, que tinha o nome *Creepy Corner* (cantinho arrepiante) escrito no portão.

A porta estava aberta. Belladonna correu até ao quarto, bateu à porta e percebeu logo que Monalot não iria à reunião. A pobre feiticeira estava completamente coberta de manchas vermelhas.

— É sarampo — queixou-se ela. — Estou cheia de manchas. E o Percy também. — Apontou a mão com dificuldade para o canto do quarto, onde a auxiliar dela, uma grande ovelha, de olhar triste, estava deitada. Uma ovelha com sarampo é muito invulgar, mas onde há feitiçaria tudo é possível.

Belladonna ficou muito preocupada.

— Posso ajudar nalguma coisa? — perguntou.

Tal como a maioria das feiticeiras, Monalot detestava a palavra «ajudar».

— Não — gemeu ela. — Vai-te embora e deixa-me. Ninguém me quer, ninguém se importa comigo.

Então Belladonna arranjou-lhe uma bebida, concertou-lhe a almofada e foi-se embora. Ao passar pelo toucador de Monalot, viu fotografias do médico e da enfermeira do centro de saúde, ambas cheias de alfinetes espetados.

Ao chegar ao autocarro, relatou o que viu.

— Acho que nada podemos fazer. A Menina Swamp está com sarampo.

— Feiticeira estúpida! — retorquiu Nora Shouter asperamente.

— Elas sempre foram muito delicadas, as Swamp — acrescentou a Maga Bloodwort. Tinha aberto a lata com a Coroação na tampa e estava a mexer nas larvas com o dedo longo e ossudo. Quando o autocarro chegou à charneca de Windylow, ainda continuava a mexer nas larvas.

Duas horas mais tarde, a reunião estava já no seu ponto alto. A fogueira crepitava no meio da charneca, iluminando o Grande Rochedo sobre o qual os antigos Druidas tinham praticado os seus terríveis actos. Sentia-se no ar o cheiro hediondo a penas queimadas da gralha-de-nuca-cinzenta que Ethel Feedbag tinha assado; de vez em quando, o luar ficava escondido pelas nuvens que passavam de um lado para o outro. As feiticeiras tinham acabado de se banquetear e de cantar canções tolas (daquelas em que «mocho» não rima com «chocho», mas sim com coisas como «suja») e estavam a dançar de costas contra costas; a tentar, pelo menos. As galochas de Ethel Feedbag não ajudavam muito, tal como o tamanho do traseiro dela bamboleando-se contra o de Mabel Wrack.

— Estás a ir ao contrário, sua velha tonta — gritou Nancy à gémea, por cima do ombro. — Devíamos ir no sentido dos ponteiros do relógio.

— É isso que estamos a fazer, sua idiota — ripostou Nora.

A Maga Bloodwort já não dançava. Sentava-se o mais perto possível da fogueira, com o casaco levantado atrás para que o calor pudesse chegar-lhe às velhas pernas, cheias de nódulos. De vez em quando, uma nuvem de moscas que volteavam em redor da cabeça dela caía no lume e desaparecia.

Quanto a Belladonna, como de costume, era deixada de lado. De qualquer forma, ninguém queria dançar com ela. As outras tinham-lhe mandado levar os auxiliares para um pequeno maciço de espinheiros e mantê-los sossegados, como se fossem mães a entregarem os filhos às amas.

Isto era mais fácil de dizer que fazer. Quando viam Belladonna, os auxiliares ficavam completamente tontos. O enorme porco de Ethel Feedbag tinha-se ido abaixo como uma árvore acabada de cortar e estava deitado de costas, de pernas para o ar, guinchando para que Belladonna lhe coçasse a barriga. As galinhas das Shouter, que há muitos anos não punham nada, começaram a arrufar as penas e a grasnar, tentando agraciá-la com um ovo. Doris, o polvo, esticou um dos seus tentáculos para fora do balde e pousou-o levemente sobre o joelho de Belladonna.

Entretanto, as feiticeiras que se encontravam perto da fogueira estavam a ficar cada vez mais doidas. A Maga Bloodwort engolia o conteúdo de uma garrafa que tinha escrito no rótulo *Abrilhantador de móveis: impróprio para consumo humano.* Mabel Wrack dava pontapés com as pernas escamadas, levantando-as cada vez mais alto e exibindo as ligas de pele de peixe. As irmãs Shouter davam pontapés nas canelas uma da outra.

Então, de repente, algo aconteceu.

Em primeiro lugar, ouviu-se — aparentemente vindo das profundezas da terra — um estrondo grave e sinistro. Depois, o chão começou a tremer e abriu-se uma imensa fenda por debaixo do Grande Rochedo dos Druidas.

— É um tremor de terra — gritou Mabel Wrack e as feiticeiras atiraram-se ao chão, guinchando de medo.

Depois ouviu-se o ribombar do trovão, o som mais profundo que alguma vez tinham escutado, seguido de um raio tão brilhante que transformou a noite em dia.

— O trovão veio antes do raio! — queixou-se a Maga Bloodwort, começando a bater no chão com a velha cabeça branca.

Depois disto veio a névoa. Uma névoa cerrada, amarela, que as fazia cegar e sufocar e se estendia pela charneca, envolvendo tudo com a sua escuridão fria e abafante.

— Parece o fim do mundo — lamentou-se Ethel Feedbag.

— É a Morte Rastejante — guinchou Nora Shouter.

Só Belladonna se mantinha de pé, tentando acalmar os auxiliares terrivelmente assustados.

Então, tão repentinamente como tinha chegado, a Grande Névoa desapareceu e ouviu-se um trovão. As feiticeiras ficaram com a respiração suspensa.

No cimo do Grande Rochedo dos Druidas estava uma figura tão espantosa, tão magnífica, que quase lhes cortou a respiração.

Arriman tinha-se dado a grandes trabalhos com as roupas. Usava um manto esvoaçante, com as constelações dos planetas bordadas. As calças eram de lamé dourado e tinha na cabeça não apenas chifres, mas uma autêntica armação, que Lester lhe tinha habilmente fixado atrás das orelhas. Com as sobrancelhas diabólicas, o bigode farfalhudo e o halo sulfúreo que o envolvia, Arriman era uma visão da qual era simplesmente impossível desviar os olhos.

— Saudações, suas feiticeiras desbocadas e amantes das trevas, — vociferou o Grande Mago.

— Saudações! — grasnaram as feiticeiras e puseram-se de pé com lentidão.

Arriman não conseguia ver Belladonna, que estava escondida atrás de uma árvore retorcida, mas conseguia ver Mabel Wrack, a quem a lesma tapava um olho, e Ethel Feedbag, que tinha uma pena de gralha chamuscada espetada na bochecha. Ainda conseguia ver a Maga Bloodwort e as gémeas Shouter e quando as viu, voltou-se e tentou descer do rochedo.

— Aguente-se, Senhor — pediu o Senhor Leadbetter, que se encontrava de pé, atrás do rochedo, com um monte de papéis na mão. — Os Canker não são de desistir, Senhor — afirmou Leadbetter, pousando a sua enorme mão no ombro do amo.

Vendo a retirada impedida, Arriman voltou a subir ao rochedo. Entretanto, as feiticeiras estavam a ficar terrivelmente excitadas. Começavam a perceber que estavam na presença do Grande Mago do Norte, que ninguém via há anos sem conta e cujo poder se contava entre os maiores da terra.

— Saibam vocês — continuou Arriman com bravura —, que sou Arriman, o Horrível, O que Odeia a Luz, O Insensível ao Belo.

— Sabemos nós. Quer dizer, nós sabemos — cacarejaram as feiticeiras.

— Saibam também que, em obediência à profecia da cigana Esmeralda, esperei novecentos e noventa dias pela chegada do novo feiticeiro a Darkington Hall. — Chegou-lhe ao nariz o cheiro a estrume que exalava das galochas de Ethel Feedbag e teve de recuar.

— Mantenha-se firme, Senhor — suplicou a voz de Lester, vinda da escuridão por trás dele e, com grande esforço, Arriman conteve-se e prosseguiu.

— Fiquem a saber que não tendo o atrás mencionado feiticeiro aparecido, eu, Arriman Frederick Canker, decidi procurar uma esposa.

A excitação das feiticeiras transformou-se num autêntico frenesim. Começaram a murmurar e a cutucar-se umas às outras e a cacarejar diabolicamente pois era sabido que Arriman tinha jurado nunca se casar. Apenas Belladonna continuava calmamente no seu abrigo junto às árvores, com os olhos cor de pervinca fixos no Grande Mago.

— Saibam — continuou Arriman, tentando concentrar-se — que para minha noiva decidi escolher uma feiticeira de Todcaster e que qualquer que seja a feiticeira escolhida por mim, ela reinará — a voz saiu-lhe mais fraca. — Não sou capaz de fazer isto — murmurou, tapando os olhos com a mão. Tinha pousado os olhos nos bigodes da Maga Bloodwort, cobertos de moscas, subitamente iluminados pela luz da fogueira.

— Agora não adianta de nada voltar atrás, senhor — disse calmamente o Sr. Leadbetter. Mas, quer o secretário, quer o ogre, espreitavam por detrás do rochedo e sentiam-se muito preocupados. Não faziam a mais pequena ideia de que as coisas em Todcaster estavam tão más.

Arriman fez um último e desesperado esforço.

— Saibam vocês — continuou ele — que, para escolher a feiticeira que vai ser minha mulher, vou organizar um Grande Concurso na minha propriedade em Darkington Hall, durante a semana do *Hallowe'en*. E saibam ainda que a feiticeira que fizer a magia mais perversa, mais negra e mais poderosa será a minha mulher!

Nessa altura gerou-se um pandemónio. Arriman esperou que os soluços, os cacarejos e os saltinhos abrandassem e depois disse:

— O senhor Leadbetter, o meu secretário, vai dar-lhes as instruções para o concurso. E lembrem-se — exclamou, levantando os braços — de que aquilo de que estou à procura é poder e malvadez. A magia negra acima de TUDO!

Com um suspiro de alívio, Arriman desapareceu.

Quando as feiticeiras se acalmaram de novo, o senhor Leadbetter surgiu de trás do rochedo e distribuiu a cada uma delas uma ficha de candidatura ao concurso. A Maga Bloodwort, que não sabia ler, pegou na sua de pernas para o ar e as irmãs Shouter começaram imediatamente a discutir quantos dias faltavam para o *Hallowe'en*.

— Quem é a senhora que está além? — perguntou o Sr. Leadbetter, que tinha avistado o pálido reflexo do cabelo de Belladonna, por entre as árvores.

— Não se incomode com *ela* — respondeu Nancy Shouter.

— Ela não é uma das nossas — acrescentou a outra gémea.

— No entanto, ela também é uma feiticeira — retorquiu a Maga Bloodwort, cuspindo umas quantas moscas. Ela era a única que, de vez em quando, tinha uma palavra amável a dizer sobre Belladonna. Em seguida, o Sr. Leadbetter caminhou até ao maço de árvores onde Belladonna se encontrava, ainda a tentar acalmar os auxiliares.

— Valha-me Deus — disse ele, depois de se ter apresentado. — Que infelicidade.

Pois tinha percebido, assim que a viu, qual era o problema dela. O pequeno morcego vermelho, de orelhas curtas, pendendo-lhe ternamente dos cabelos, as galinhas a cacarejarem-lhe aos pés, o aroma a prímulas orvalhadas. — Alguma vez foi... bem... sempre foi...?

— Branca? — inquiriu Belladonna com tristeza. — Sim. Desde que nasci.

— Não se pode fazer nada, não é?

Belladonna abanou a cabeça.

— Já tentei de tudo.

— Então não vai participar no concurso?

Belladonna acenou com a cabeça.

— De que serviria? Ouviu-o como eu. «A magia negra acima de tudo!», disse ele. — As feiticeiras, tal como os feiticeiros, não podem chorar, mas os olhos dela estavam cheios de tristeza. — Diga-me, ele é realmente... tão maravilhoso como parece?

O Sr. Leadbetter pensou. Vieram-lhe imagens à cabeça. Arriman a chiar de raiva quando perdeu os suspensórios. Arriman a encher a banheira com enguias eléctricas e dando sonoras gargalhadas. Arriman a encomendar doze emas para o jardim zoológico, e deixando o secretário sozinho a desembalá-las... Mas não havia em Arriman nada de malvado ou mesquinho e o Sr. Leadbetter respondeu com sinceridade:

— Sim, ele é um cavalheiro. Um verdadeiro cavalheiro.

— Bem me parecia — respondeu Belladonna, com um suspiro.

— Bem, de qualquer forma, deixo-lhe um convite, caso mude de ideias — disse ele. — Seria possível entregar o da Menina Swamp? — Já tinha voltado as costas a Belladonna, quando se lembrou de uma coisa. — Vou desaparecer daqui a nada, — explicou ele. — Pelo menos assim o espero. Não tenho poderes próprios e espero que o Grande Homem se lembre de mim. Mas quando isso acontecer, vão ficar alguns presentes ali sobre o rochedo, um para cada uma. Não se esqueça do seu.

— Muito obrigado, não vou esquecer — respondeu Belladonna. Depois acrescentou um pouco envergonhada: — Espero que não se aborreça com o que vou dizer, mas à pouco, quando se afastou, eu achei que era *muito* bonita... estou a referir-me à cauda. Em geral, as costas dos homens são tão direitas e desinteressantes.

O Sr. Leadbetter ficou muito sensibilizado.

— Obrigado, minha cara; isso deixa-me muito feliz. O luar é bastante lisonjeiro. À luz do dia pode parecer um pouco grosseira.

Apertou-lhe a mão em agradecimento. Esteve quase a contar-lhe como tinha sido a sua infância e o choque que teve quando descobriu que não era como os outros rapazes, mas nesse exacto momento Arriman achou que precisava do secretário. Formou-se uma pequena nuvem de fumo e o Sr. Leadbetter desapareceu.

Quase ao mesmo tempo, as outras feiticeiras começaram a gemer e a guinchar.

— Olhem! Além sobre o rochedo!

— Uma coisa brilhante!

Segundos depois, estavam todas a remexer uma pilha de espelhos ovais, muito bonitos, com molduras de pedras preciosas. Mas quando se miraram na brilhante superfície do espelho, não viram as caras feias que tinham. Viram o rosto do grande Arriman, com os seus olhos flamejantes, o nariz adunco e o bigode farfalhudo. Além disso, o espelho mostrava às feiticeiras o que Arriman estava a fazer a cada momento, para que o pudessem ficar a conhecer melhor, a ele e aos seus hábitos. Assim já sabiam o que as esperava em Darkington, caso ganhassem o concurso.

— Que homem atraente! — exclamou Mora Shouter.

— Bem, tu não vais ganhar. Quem vai ganhar sou *eu*!

— Bolas! Não me importava de casar com ele — retorquiu Ethel Feedbag.

Mabel Wrack sorriu de pena. A filha da Sr.ª Wrack, que tinha sido uma sereia, era uma vencedora tão óbvia, que não tinha de se preocupar com nada.

— Mabel Canker, Feiticeira do Norte. — Soava bem.

— Nunca pensei sentir-me feliz por não ter morrido antes do pobre Sr. Bloodwort. Mas agora sinto, porque isso quer dizer que posso entrar no concurso.

— Tu? — gritaram as gémeas Shouter. — Tu és demasiado velha!

— Sou realmente — respondeu a Maga, mas há muitos homens que gostam de mulheres mais velhas. Além disso, tenho uma mágica para voltar a ser jovem outra vez. Está-me na ponta da língua e quando me lembrar dela, vou pôr tudo em reboliço!

Belladonna aproximou-se timidamente e pegou num dos dois espelhos que ainda estavam sobre o rochedo. Arriman estava a tirar as armações. As grandes mãos de Lester viam-se perfeitamente ao tirarem a fita-cola. O Grande Mago parecia cansado e desanimado. Se ao menos ela lá pudesse estar para lhe fazer festas na cabeça e consolá-lo!

— Que é que estás à procura? — inquiriu Mabel Wrack. *Tu* não vais entrar no concurso.

— Era o que mais faltava. Fazer florir rosas no meio da neve! Pássaros dourados a cantar! Que nojo! — acrescentou Nora Shouter.

Belladonna nada disse. Em silêncio, ajudou as outras feiticeiras a arrumarem os cestos do piquenique, auxiliou a pôr Doris no reboque, acalmou o porco de Ethel Feedbag. Mas quando o autocarro estava prestes a partir, não se juntou às outras. O regresso a Todcaster a pé era uma longa jornada através da escuridão, mas ela estava a gostar da ideia. Mais do que tudo, queria ficar sozinha.

Estava sentada no rochedo onde Ele tinha estado, olhando fixamente para o espelho, quando uma voz forte e irritante disse:
— Bom, acho que estás a ficar mole. Mole e fraca.

Belladonna deu um salto, assustada. Depois percebeu que a voz não era humana, mas de morcego e vinha do seu próprio cabelo. — Para já não dizer, sem força anímica — continuou o morcego. — Por que é que não *tentas*, ao menos?

33

— Não digas disparates — respondeu Belladonna. — Sabes perfeitamente que nem sequer consigo fazer sair um sapo da boca de alguém e essa é a magia negra mais banal que há.

— As pessoas mudam — retorquiu o morcego. — Vê a minha tia Screwtooth. Era o morcego mais inútil que podes imaginar. Era incapaz de tirar o sumo de uma pêra a apodrecer sem que o marido lhe segurasse nas garras. Então, ele levou-a de férias para o estrangeiro. Transilvânia ou um lugar parecido. Ela juntou-se a uma família de vampiros e fixaram-se lá. Devias vê-la agora, a chupar sangue como se fosse o leite da mãe. Está até bem contente com aquilo. Se a tia Screwtooth mudou, por que não hás-de mudar também?

Belladonna estava de novo curvada sobre o espelho. Agora Arriman estava de pijama. Um pijama de seda amarela, rematado com galão preto.

— Isso é mesmo verdade? Essa história da tua tia Screwtooth?

O pequeno morcego corou na escuridão. Tinha inventado a história toda porque adorava Belladonna.

Mas ela não o viu corar. Estava a pensar. Se entrasse no concurso, pelo menos podia *vê-lo* de novo. Devia ser, de certeza, um dos júris. E uma vez lá dentro, talvez arranjasse *uma maneira* de ajudar e de o confortar.

Levantou-se.

— Está bem — exclamou. — Vou fazer o que dizes. Vou tentar.

4

O Sr. Leadbetter gostava muito de ver televisão. Apesar do pequeno arremedo de cauda, era uma pessoa bastante vulgar e quando as magias e os acontecimentos em Darkington eram demasiado fortes para ele, gostava de ir descansar para o quarto e ver o que estava a dar.

Um dos seus programas favoritos era o Concurso de Miss Mundo. Sabia, é claro, que era uma grande idiotice as raparigas deixarem-se ser examinadas e medidas como se fossem nabos ou vacas numa feira agrícola, mas ainda assim, gostava de ver as concorrentes vindas de todos os cantos do mundo, alojadas no mesmo hotel, a desfilarem primeiro em traje étnico, depois em vestido de noite e em fato-de-banho. Quando a mais bonita subia ao trono e lhe punham uma coroa na cabeça, o Sr. Leadbetter sentia sempre um nó na garganta.

Foi assim que, quando se decidiu a fazer um concurso para escolher a Feiticeira Mais Negra de Todcaster, o Sr. Leadbetter quis organizá-lo como se fosse o concurso de Miss Mundo. É claro que não estava a pensar fazer um desfile de feiticeiras em fato-de-banho. Nem mesmo antes de ver a Maga Bloodwort, Mabel Wrack ou Ethel Feedbag, *tal coisa* lhe passara pela cabeça. Mas parecia-lhe boa ideia juntar primeiro as feiticeiras num hotel e verificar as suas roupas e o seu comportamento à mesa, antes de irem para Darkington. Acima de tudo, queria certificar-se de que todas conheciam as regras e de não havia comportamentos duvidosos entre elas. Qualquer feiticeira que fosse apanhada a lançar um feitiço a outra, seria *imediatamente* desclassificada.

Assim, alugou o Grand Spa Hotel nos arredores de Todcaster. Era um hotel grande, com bar, salão de baile e um terraço com cadeiras de repouso às riscas. O Gerente, que estava bastante habituado a conferências de políticos, professores e padres, foi muito receptivo à ideia de uma reunião de feiticeiras.

Mas depois do primeiro dia ali passado, o Sr. Leadbetter começou a sentir que tinha cometido um erro terrível. A Maga Bloodwort e as gémeas Shouter e Ethel Feedbag não se comportavam como as Miss Jugoslávia, Miss Bélgica e Miss EUA. Na verdade, tal como comentou com Lester, que tinha vindo ajudá--lo, se não fosse por Belladonna, já tinha acabado com tudo e deixava Arriman escolher sozinho a sua mulher.

Belladonna, que chegara mais cedo, com um cesto de palha, onde trazia a escova de dentes, o vestido de noite e o espelho mágico, tinha sido encantadora. Foi ela quem tirou as galochas a Ethel Feedbag com todo o cuidado e as lavou à mangueira, quando o Gerente se queixou do estrume que ela espalhava pela carpete. Foi Belladonna quem fechou com fita-cola a lata da Maga Bloodwort e convenceu a velhota de que nos melhores hotéis as pessoas não se sentavam à mesa com uma nuvem de moscas. E quando Mabel Wrack entrou na banheira completamente vestida porque as pernas estavam a ficar muito secas, fazendo com que Doris (que gostava de estar só) a salpicasse com tinta, foi Belladonna quem limpou tudo e levou o irritado animal para a sua própria casa de banho e o acalmou.

Não recebia qualquer agradecimento por isto.

— Ver a forma como essas feiticeiras lhe falam, faz-me ferver o sangue — disse Lester.

— Ó, bem — respondeu Belladonna —, é difícil para elas eu ser... sabe como é...

Estavam no escritório, que o Gerente emprestara gentilmente ao Sr. Leadbetter, a tomar chá. Lester, que tinha ficado mal impressionado pela visão das feiticeiras à luz do dia, vagueava por ali à procura de uma espada para engolir. O Sr. Leadbetter, como todas as pessoas que organizam coisas, estava a mexer nos papéis, com ar preocupado.

— Talvez só esteja a *imaginar-se* branca — continuou Lester. Encontrou o guarda-chuva do amo, olhou-o e voltou a pô-lo no sítio. Não havia nada de especial em engolir guarda-chuvas e se eles se abrissem lá dentro, havia de dar um grande sarilho.

— Não me parece — retorquiu Belladonna. Como de costume, estava a olhar para o espelho mágico, que levava consigo para todo o lado. Arriman estava agachado num local parecido com um armário de vassouras.

— *Tente*! — pediu Lester que já imaginava Belladonna como a senhora de Darkington Hall. — Olhe, está a ver aquela máquina de escrever em cima da secretária? Aposto que se tentar a consegue transformar num ninho de vespas ou coisa parecida. Ou seja, tem de *acreditar* em si mesma.

Belladonna suspirou. Sabia que era inútil, mas detestava desapontar as pessoas. Levantou-se e procurou no bolso da camisa uma varinha mágica ou algo semelhante. Não tinha nada, é claro. Apenas uma mão cheia de ervas curativas, a anilha dum pombo--correio que andava a vadiar longe do pombal e um ratinho do campo. Voltou a pôr tudo no bolso e fechou os olhos, agitou os braços por cima da máquina de escrever e pensou nas coisas mais negras que conseguia imaginar, como, por exemplo, fígado cru, atacadores de sapatos e sepulturas abertas. Depois recuou um passo.

— Meu deus! — exclamou o Sr. Leadbetter.

A máquina não se transformara num ninho de vespas, mas sim num vaso de begónias cor-de-rosa; flores belas e bem cheirosas, cada uma com uma abelha agarrada.

— Bonito — disse o ogre, com tristeza.

— Eu bem disse — respondeu Belladonna, muito envergonhada. Reverteu o feitiço e pegou no espelho mágico. Se o Grande Homem soubesse, desprezava-a completamente.

— Ele ainda está amuado? — perguntou Lester.

— Não, ele não *amua* — explicou Belladonna. — Talvez não tenha andado muito *alegre* ultimamente.

— Bem o pode dizer — retorquiu o ogre.

E na verdade, desde que tinha visto o leque de feiticeiras para escolher, Arriman estava num estado lastimável. Acordava a gritar por causa de terríveis pesadelos e dizia umas coisas sem nexo acerca de uns bigodes que o perseguiam pelos corredores. Não comia, o bigode começou a cair e passava o tempo a perseguir impiedosamente o Vigilante Mágico, obrigando o pobre monstro a ir para o portão antes de o Sol romper, numa última e desesperada esperança de que o novo feiticeiro pudesse chegar a tempo de cancelar o concurso.

— Não consigo deixar de me perguntar por que estará ele no armário das *vassouras* — disse Belladonna.

— Eu vou dizer-lhe porquê — exclamou Lester com um franzir de sobrolho. — Porque está à espera de Lorde Simon, essa é que é a razão. O esconderijo favorito do Lorde é o armário das vassouras.

— É aquele cavalheiro com um ar um pouco *morto* com quem ele às vezes fala? — inquiriu Belladonna.

Lester respondeu que sim com a cabeça.

— Com um ar *muito morto*. Morreu em 1583 — acrescentou. — Assassinou cada uma das suas sete mulheres.

O Sr. Leadbetter pousou os papéis e veio para junto deles. Em conjunto com o ogre e o secretário, espreitou o amo por cima do ombro de Belladonna. Era verdade, uma sombra oscilante apareceu na superfície do espelho e Arriman pôs-se de pé ansiosamente.

— Isto não me agrada — afirmou Lester, sacudindo a sua enorme cabeça. — Há anos que ele anda a tentar trazer Lorde Simon à vida, mas desde a reunião de feiticeiras que não pára. Esta manhã, quando lhe levei o ovo, estava sentado na cama com um livro enorme; *Necromancia,* era esse o título. Sórdido.

— Eu não me preocupava muito — disse o Sr. Leadbetter. — Acho que nos últimos duzentos anos ninguém conseguiu ressuscitar um fantasma.

Mas estava um pouco mais ansioso do que admitia. E se Arriman *conseguisse?* Um homem que tinha assassinado sete esposas não parecia ser a pessoa indicada para ter numa casa onde em breve se celebraria um casamento.

Uma hora mais tarde, as feiticeiras reuniram-se no bar do hotel, à espera que o Sr. Leadbetter lhes dissesse quais as regras do concurso. Tinham-se esforçado bastante para parecerem elegantes. Mabel Wrack tinha entrançado o cabelo com um cordão feito com barbatanas de tubarão. Do queixo da Maga Bloodwort brotava um novíssimo emplastro adesivo. Ethel Feedbag tinha deixado as galochas no quarto e calçava botas de dormir.

— Estamos todos? — perguntou o Sr. Leadbetter, pousando momentaneamente os olhos em Belladonna, que estava calmamente sentada num banco longe das outras.

— Não — respondeu Nancy Shouter, fazendo tilintar os brincos de osso. — A idiota da Monalot não está cá.

O Sr. Leadbetter suspirou. A Menina Swamp tinha enviado a ficha de inscrição, mas até ao momento não havia sinais dela e ele detestava coisas desorganizadas.

— De qualquer forma, de nada adianta a uma *banshee* velha e balofa como aquela participar no concurso — disse Mabel Wrack.

— E aquela ovelha dela. Dá-me urticária! — exclamou Ethel Feedbag.

As outras assentiram com a cabeça. Era verdade que Percy era um animal muito deprimente: do tipo daqueles que acham que as outras ovelhas têm uma vida melhor que a sua e comem uma erva mais verde que a dela e *fazem* mais.

— Bom, teremos de começar sem ela — disse o Sr. Leadbetter. Mas nesse exacto momento o porteiro do hotel veio sussurrar qualquer coisa ao ouvido do Sr. Leadbetter, cujo rosto se iluminou. — Faça-a entrar, se faz favor — pediu ele. Estamos à espera de outra senhora.

Mas a nova feiticeira não parecia ser alguém que se fizesse apresentar. Avançou como uma rainha e à medida que entrava na sala, as outras encolheram-se nas cadeiras e Belladonna susteve a respiração.

Não era Monalot. Nada que se pudesse assemelhar à pálida Menina Swamp. A nova feiticeira era muito alta e usava o cabelo repuxado para o alto da cabeça. Tinha unhas compridas, pintadas de vermelho-sangue e, nos ombros, trazia uma capa de pele de cachorro. Os dedos e os pulsos luziam com jóias, mas o colar em volta do pescoço era, inesperadamente, feito não de pérolas ou diamantes, mas de dentes humanos. Mas aquilo que mais espantou as outras era o auxiliar da nova feiticeira. Arrastado atrás dela por uma trela cravejada de diamantes surgiu um animal cinzento e pesado, com um focinho como o de um castor e patas com ar malévolo.

— Que é aquilo? — sussurrou a Maga Bloodwort, que nunca conseguia juntar dinheiro suficiente para ir ao jardim zoológico.

— Acho que é um porco-formigueiro — sussurrou Belladonna em resposta à pergunta.

— Boa noite — cumprimentou a nova feiticeira. — Sou Madame Olympia. Vim para participar no concurso.

— Parece-me que há aqui um mal-entendido — disse o Sr. Leadbetter. — O concurso está limitado às feiticeiras de Todcaster.

Madame Olympia sorriu — um sorriso de fazer arrepiar a espinha.

— Eu *sou* uma feiticeira de Todcaster — respondeu ela.

— Como pode isso ser? — começou o Sr. Leadbetter — Nós...

— Comprei a casa da Menina Gwendolyn Swamp, *Creepy Corner* — interrompeu a recém-chegada, atirando descuidadamente a trela para uma cadeira. — É demasiado pequena para mim, é certo, mas tem o seu encanto. A Menina Swamp achou que estava na altura de viajar.

— Monalot *nunca* quis viajar — retorquiu a Maga Bloodwort. — Viajar fazia-a ficar com os nervos em franja. Só saía de casa por um saco de olhos de boi.

— No entanto, ela agora está a viajar — ripostou Madame Olympia, com um dos seus sinistros sorrisos. — Ó sim, ela está realmente a viajar agora. Acho que deve estar algures perto da Turquia.

Abriu a mala de pele de crocodilo e começou a empoar o nariz. Quando viu o olhar vaidoso e cheio de si que Madame Olympia fez ao olhar-se no espelho, Belladonna compreendeu que tipo de pessoa era a nova feiticeira. Era uma Fada, uma das feiticeiras mais velhas e mais más que existe. Morgan Le Fay, a que causou a morte do grande Rei Artur era uma, tal com Circe, que transformou os valente homens de Ulisses em porcos. As Fadas são belas, mas a sua beleza é maléfica. Usam-na para enredar os homens, os tornarem impotentes e lhes roubarem os segredos e o poder. Quando têm tudo quanto querem deles, destroem-nos.

— Bom, minha senhora, suponho que o melhor é dar-me a sua ficha de inscrição — disse o Sr. Leadbetter. Era justo, se a nova feiticeira estava a viver agora em Todcaster, estava habilitada para o concurso. Mas sentiu-se triste, quando escreveu o nome dela no livro de registos. Não sabia muito sobre Fadas, mas havia qualquer coisa nela que lhe fazia gelar o sangue.

Madame Olympia não só não era uma feiticeira de Todcaster, como não era sequer Feiticeira do Norte. Vivia em Londres, onde tinha um salão de beleza. Era um lugar medonho. As mulheres estúpidas eram atraídas para ali e prometiam-lhes ficarem jovens e belas se se deixassem untar e massajar com cremes peganhentos e deixassem que o rosto fosse retocado e a barriga alisada. Pagavam muito dinheiro a Madame Olympia, que punha um pouco de magia nos cremes e unguentos que usava, de forma a que, a princípio, elas parecessem realmente maravilhosas. Mas era o tipo de magia que desaparecia rapidamente, deixando-as ainda mais feias que antes. E então lá voltavam elas a correr, pagavam mais dinheiro e tudo começava de novo. Era também muito má para as raparigas que empregava, pagando-lhes pouco e tratando-as mal.

Madame Olympia tinha tido cinco maridos. Todos desaparecidos de formas muito estranhas, depois de terem feito testamento em que lhe deixavam todo o dinheiro. Ela *dizia* que tinham morrido, mas era muito estranho que um lobisomem com olhos azuis e uma careca tivesse aparecido na floresta de Epping, a assustar os habitantes, logo depois de ela ter participado a morte do primeiro marido. Os segundo e terceiro maridos desapareceram com diferença de um ano entre eles e, de cada vez, as raparigas do salão de beleza ficavam espantadas com a forma repentina como o colar de dentes humanos que a patroa usava se tornava maior. O quarto marido tinha realmente batido com o *Jaguar* num poste eléctrico, mas o quinto... bem, ninguém sabia ao certo o que lhe tinha acontecido, mas o caixão em que foi enterrado era *estranhamente* leve.

E agora ela estava atrás de Arriman, o Horrível, Mago do Norte!

Assim que ouviu falar no concurso, veio direita a Todcaster e «convenceu» Monalot a vender-lhe a casa. Monalot não queria ir-se embora, é bom de ver: tinha soluçado, suplicado e implorado; afinal de contas, não era uma *banshee* em vão. Mas quando Madame Olympia lhe relatou apenas uma das coisas que poderia fazer a ela e a Percy, se não se fosse embora, Monalot sentiu-se contente por vender a casa e fazer uma viagem pelo mundo. Realmente muito contente.

O Sr. Leadbetter começou a explicar as regras do concurso. As feiticeiras teriam de usar vestidos pretos e máscaras para que os juízes fossem influenciados não pelo seu aspecto, mas sim pelo poder das suas magias negras. Iriam tirar números de dentro de um chapéu e fazer os truques pela ordem indicada e tinham de entregar uma lista com tudo o que precisavam para o concurso: sangue de dragão, peneiras para irem ao mar e por aí adiante, para que tudo estivesse pronto a horas...

Madame Olympia nem se dava ao trabalho de escutar. Depois de dar uma primeira olhada às outras feiticeiras, percebeu que iria ganhar. Aquela coisinha loira era bastante atraente, mas qualquer pessoa podia ver o que estava errado *nela*. Seria a Rainha de Darkington. E depois...!

Quase sem esperar que o Sr. Leadbetter terminasse de falar, levantou-se e espreguiçou-se.

— Tratem de alimentar e dar água ao meu porco-formigueiro, por favor — ordenou com indiferença. — Vou trocar de roupa para o jantar.

E deslizou para fora da sala, deixando as outras a ferver e a borbulhar de indignação.

— Vaca sarcástica e enfatuada. Quem pensa ela que é? — disse Nancy Shouter. — Espero que morra.

E desta vez a gémea concordou com ela.

Naquela noite Belladonna demorou muito a adormecer. O jantar tinha sido excelente, mas mesmo antes de o emplastro da Maga Bloodwort se desprender e lhe cair na sopa da cogumelos, Belladonna já não tinha muita fome. Depois gerou-se uma confusão porque Ethel Feedbag queria partilhar a cama de casal com o seu porco e, quando finalmente Belladonna recolheu ao quarto, ainda tinha Doris na banheira, a acenar-lhe, querendo atenção.

Mas não era nada disso que a preocupava. Era a visão que tinha tido, ao passar pela porta aberta do quarto, de Madame Olympia de pé, com uma camisa de noite dourada, o cabelo a cair-lhe pelas costas e o porco-formiguerio, encolhido com medo, a seus pés. Estava a olhar para o espelho mágico de Monalot e ria-se — um riso sonoro e verdadeiramente demoníaco.

— Querias Poder e Trevas, tu, Mago do Norte — ouviu-a dizer Belladonna. — Pois vais ter Poder e Trevas!

Quando finalmente adormeceu, Belladonna ainda tinha nos ouvidos o som da horrível gargalhada da nova feiticeira.

5

Quando acordou, Belladonna ainda estava preocupada. Parecia-lhe quase certo que Madame Olympia iria ganhar o concurso e tornar-se a Senhora Canker, o que a fazia recear terrivelmente por Arriman.

Levantou-se e abriu a janela. De imediato, uma família de chapins-azuis lhe posou nos ombros e começou a contar-lhe uma longa história sobre um ninho que não dava para uma mosca lá dormir e sobre a forma chocante como as pessoas continuavam a ir buscar as garrafas do leite à porta demasiado cedo e a arranjar gatos para ter em casa.

Belladonna suspirou. Conseguia aguentar-se com um chapim no cabelo, mas uma família dava-lhe sempre dores de cabeça.

— Podem ficar, mas no meu cesto — disse ela, conseguindo, pela primeira vez, ser firme.

Felizmente Doris ainda estava a dormir, com o corpo espalmado contra a brancura da banheira e os olhos calmamente fechados. Belladonna lavou os dentes e foi para baixo. As salas estavam desertas e ainda em sossego. Esta manhã não se sentia como as outras feiticeiras; sentia-se como se não fosse ninguém. Esgueirando-se por uma porta lateral que dava para a rua, começou a caminhar para longe do hotel.

Caminhou, caminhou e continuou a caminhar, deixando que os pés a levassem para onde quisessem. Deixou para trás os agradáveis jardins e as lojas elegantes que rodeavam o Grand Spa Hotel e dirigiu-se à parte pobre e decadente da cidade, onde as casas estavam sujas e em ruínas, cascas de laranja e vidros partidos enchiam as sarjetas e cães esfomeados esgravatavam nos caixotes do lixo.

Atravessou uma rua estreita, com alguns loureiros poeirentos a servir de cercadura, uma banca de limonadas feita com taipais e uma casa de banho pública, e deu consigo em frente a um grande edifício cinzento, com cortinas cor de bílis. Um lanço de degraus feitos de pedra pintalgada descia do lado do edifício em direcção a um pedaço de terra com pedras, que parecia ter antes sido um jardim. Ali, agachado junto à parede que ladeava o pavimento, estava um rapazinho. Olhava para algo que tinha na concha das mãos magras e parecia estar a soluçar.

Na concha das mãos, tinha uma minhoca. O nome do rapaz, que ele detestava, era Terence Mugg.

Quando era bebé, Terence Mugg foi encontrado embrulhado em papel de jornal, numa cabina de telefone, atrás da estação de caminho-de-ferro. O jornal cheirava a vinagre e a senhora que o encontrou pensou que era um pacote de *fish and chips*. Contudo, quando o abriu e de lá saiu uma mãozinha cor-de-rosa, desatou a fugir e chamou a polícia.

Na esquadra, Terence foi alimentado, vestido e fotografado ao colo de uma bonita mulher-polícia. Quando a fotografia apareceu no jornal, ninguém exclamou — Ohhh — e — Ahhh — e — Não é tão bonito? — e ninguém se ofereceu para o adoptar (apesar de um cavalheiro se ter oferecido para adoptar a mulher-polícia). Terence não era desse tipo. Houve até pessoas suficientemente cruéis para dizerem que elas mesmas o teriam deixado numa cabina telefónica.

Então o pobre Terence foi mandado para o Orfanato de Sunnydene, na parte mais triste de Todcaster e a Directora deu-lhe o nome de Terence, por causa de um actor que ela admirava na altura. O apelido Mugg[1] tinha a ver com a cara dele.

— Com uma cara assim, que outro nome posso pôr-lhe? — pensava a Directora.

Normalmente, as crianças que estão nestes lares são adoptadas com facilidade, mas tal não aconteceu com Terence. Por um lado, era um bebé invulgarmente simples, por outro, passara os primeiros cinco anos de vida doente. Além de varicela e tosse convulsa, teve doenças muito invulgares como uma inflamação no cérebro e garrotilho. Naturalmente, ninguém quer adoptar um bebé que tem a cabeça completamente envolvida em ligaduras e a cara coberta de manchas e que fica amarelado como uma lentilha de cada vez que come queijo. Aos cinco anos de idade, quando começou a frequentar a escola, Terence já tinha perdido a esperança de encontrar uma família que o amasse.

---

[1] Deriva da palavra *mug* que, em calão inglês, significa «cara» ou «careta». (*NT*)

— Vamos ficar com *aquele* para sempre — dizia a Directora, quando Terence passava por ela como se fosse um cachorro enjeitado. — Pessoa Certa não vai aparecer para *ele*.

As pessoas que se sentem pouco queridas e rejeitadas tendem a canalizar a sua afeição para os animais e foi isso que Terence fez. Mas a Directora, como é fácil de adivinhar, não admitia verdadeiros animais de estimação no lar. Assim, Terence brincava com pequenos animais, aranhas pequenas, bichos da madeira e escaravelhos brilhantes, que encontrava no depósito de lixo a que chamavam jardim ou debaixo de pedras, quando ia para a escola.

E foi assim que encontrou Rover.

Rover era uma minhoca macho. Um animal rosa-pálido, esguio, com uma saliência cor de malva no meio do corpo, um rabo pontiagudo e uma maneira especial de rastejar.

Terence gostou dele imediatamente. Havia em Rover qualquer coisa de especial. Não se parecia com as outras minhocas que aparecem por todo o lado e não fazem mais do que desaparecer pela terra dentro. Rover encaracolava-se à volta dos dedos de Terence ou deitava-se calmamente na mão dele e por vezes erguia-se no seu rabo pontiagudo de forma muito inteligente. Terence descobriu-o num montículo de terra junto à casa do farmacêutico e levou-o às escondidas para o lar. Arranjou-lhe um esconderijo no jardim — um frasco de doce cheio de terriço de folhas, que tinha o cuidado de manter sempre húmido, pois o professor tinha-lhe dito que as minhocas respiram pela pele e esta nunca devia ficar seca. Enterrou o frasco atrás de um monte de tijolos e não contou a ninguém. Só a Billy, que era surdo e também não tinha sido adoptado. Billy era outra pessoa que não incomodava os seres vivos.

E Rover viveu ali feliz como nunca, até que, na noite anterior, a Directora descobrira Terence e Billy a falarem com ele, quando deveriam estar dentro de casa, a preparar-se para ir para a cama.

— Como se *atrevem*? — gritou ela, caminhando pelo jardim como um camelo enfurecido. — Venham já para dentro! E deitem fora essa minhoca repelente e pouco higiénica. Imediatamente!

Como Terence não fez logo o que lhe mandaram, ela pegou no frasco, despejou-o e pisou a terra com os sapatos bicudos.

45

Feriu Rover. Feriu-o quase mortalmente. Esta manhã, não estava melhor: tinha uma ferida no meio do corpo e viam-se-lhe as entranhas. Rover também não se mexia; estava perfeitamente esticado e imóvel na mão de Terence.

Estava quase a morrer.

— Olá! — disse uma voz melodiosa, acima da cabeça dele. Terence olhou para cima e viu a rapariga mais bonita que alguma vez tinha visto. Uma rapariga que o teria assustado, mas os olhos azuis dela eram tristes e a tristeza era algo que Terence conhecia bem. — Chamo-me Belladonna — continuou a voz suavemente. — E tu, como te chamas?

O rapazinho corou.

— Terence Mugg — respondeu ele, fixando-a através dos grandes óculos com aros de metal. — E este é o Rover — disse soluçando. — Só que acho que ele vai... morrer — acrescentou, esforçando-se por segurar a voz.

Belladonna observou a minhoca com cuidado. Não achava Rover um nome estranho para uma minhoca. Soube logo que se chamava Rover porque Terence tinha desejado muito ter um cão e nunca teria um. Belladonna sabia também que Terence estava certo. Rover estava muito, muito doente.

— Posso pegar-lhe? — perguntou.

Terence hesitou. Quando alguém que nos é querido está quase a morrer achamos que devemos ficar com ele até ao fim. Mas quando viu a expressão do rosto de Belladonna, abriu cuidadosamente a mão e deu-lhe a minhoca.

Belladonna curvou-se sobre Rover e o cabelo caiu-lhe para baixo como se fosse uma cortina dourada, dentro da qual a minhoca ferida se aninhou, quente e protegida. Então, ela começou a sussurrar uma canção.

Terence nunca tinha ouvido uma canção como aquela. Falava da humidade e da doce escuridão da terra rica e das pacientes minhocas que a tinham revolvido ao longo dos anos. Era uma canção sobre coisas rosadas, húmidas e redondas e, enquanto ela cantava, Terence sentiu que também ele era uma minhoca e compreendeu a alma de todas as minhocas. Nunca deixaria de as compreender. Então Belladonna soprou três vezes para dentro das mãos em concha e separou-as.

— Vejamos — disse ela.

— Oh! — exclamou Terence. — Ohhh!

O buraco que o sapato da Directora tinha feito na pele da minhoca estava quase fechado. A pele de Rover estava macia e sem cicatrizes e, enquanto Terence o olhava espantado, Rover ergueu-se na ponta do rabo, alegremente, como sempre fazia.

Terence era talvez o rapazinho mais feio que Belladonna alguma vez tinha visto, mas agora o rosto dele resplandecia como o de um arcanjo.

— Ele está melhor! Está outra vez bom! *Curou-o!* Rover, já estás bom. Estás melhor que antes! — Ergueu os olhos para Belladonna. — Mas não lhe deu remédio nenhum... É veterinária, ou quê? — A expressão no rosto dele era bastante confusa pois já tinha visto veterinários antes e não se pareciam nem um pouco com Belladonna.

— Bom, não exactamente — respondeu Belladonna. — Mas às vezes posso ser. — Interrompeu-se e recuou um pouco. Do cimo das escadas, chegava a voz mais horripilante que já escutara.

— Onde estará aquele malvado miúdo? — lamentava-se. — Está outra vez escondido no jardim, de certeza. Realmente! Não sei por que se incomodaram a tirá-lo da cabina telefónica. Desde que cá chegou só tem dado aborrecimentos.

A desagradável voz pertencia a uma mulher alta, ossuda, com pele amarelada e um nariz tão grande que quase dava para cortar queijo à fatia.

— É a Directora — disse Terence muito baixinho, chegando-se para junto de Belladonna.

— Ah. Estás aqui, seu malvado! Vem *já* para dentro ou ficas sem almoço. E se ainda tiveres aquela minhoca nojenta, vou deitá-la pela sanita abaixo e depois atiro-te também a ti!

Começou a descer os degraus com passos fortes e Belladonna sentiu Terence encolher-se a seu lado.

— Não — implorou ele. — Por favor, eu deito-o fora.

A Directora não ouviu nada. Chegara ao fim dos degraus e agora caminhava pelo jardim.

— Quanto a si — disse, fitando Belladonna. — Gostava de saber o que está a fazer. Está a invadir uma propriedade privada.

— Ficas com ele? — sussurrou Terence.

Belladonna assentiu com a cabeça. E pegou em Rover. Depois pôs o braço em volta dos ombros de Terence. Quando sentiu os tremores que sacudiam o seu corpito, uma grande raiva apoderou-se dela. Belladonna quase nunca se zangava, mas agora estava muito irritada. Mesmo muito irritada.

Fechou os olhos. Respirou fundo. Depois invocou um deus que as feiticeiras brancas não costumam invocar.

— Ó grande Cernunnos, Ó Chifrudo, por favor ajuda-me a fazer parar esta mulher *revoltante!*

A Directora estava cada vez mais próxima. Ainda mais... De repente tropeçou e olhou para o pé esquerdo. Puxou-o. Voltou a puxar. Nada acontecia. O pé não se movia.

— Oh! — exclamou Terence com voz ofegante. — *Olha!*

Uma saliência aparecera na ponta do pé da Directora. Depois a pele rebentou e apareceu uma raiz verde, que começou a serpentear pelo chão e se enterrou. Do lado do sapato apareceu outra raiz, e outra... As raízes ficavam cada vez mais grossas e fortes; agora eram retorcidas, como as raízes das faias velhas e puxavam para baixo, para dentro da terra.

— Socorro! — gritou a directora. — Ajudem-me! Aaaiii!

Agora era o outro pé. Dos calcanhares, dos dedos, dos tornozelos, dos joelhos nodosos... raízes que surgiam verdes e macias e se tornavam cada vez mais grossas e retorcidas à medida que desciam para o chão; raízes que pareciam grandes trepadeiras ou grossas cordas; todas elas amarravam a Directora ao chão, como se fossem cabos de aço.

— Socorro! — gritou de novo a Directora. Mas ninguém a ouviu. Agora, as raízes começavam a sair-lhe do peito, dos braços... Pouco depois, já nem podia gritar porque uma gavinha lhe surgiu no lábio superior e crescia em direcção ao chão, selando-lhe a boca, como um túmulo.

— Ó! — exclamou Terence, uma vez mais. Continuava aninhado contra a saia de Belladonna, mas quando ela olhou para baixo, viu que ele não estava aterrorizado, apenas espantado. — Foste tu quem fez isto! — disse ele. — Sei que foste tu. Isto é magia, não é? És uma feiticeira!

Belladonna acenou com a cabeça. Também ela estava em ebulição pois enraizar pessoas é magia, mas não é magia branca. Enraizar uma begónia ou uma couve ou um pé de goivo amarelo é magia branca pois as couves, as begónias e os goivos gostam de ter raízes e não podem viver sem elas. Mas enraizar Directoras é uma coisa completamente diferente. Se não era mesmo magia *negra*, era já muito cinzenta e os olhos de Belladonna brilhavam quando olhou para Terence.

— Deste-me sorte — disse ela. — Tu e o Rover. Esta foi a coisa mais negra que *alguma vez* fiz.

— Quer dizer que costumas fazer magia branca, como curar pessoas e assim? — perguntou Terence. Belladonna percebeu que ele tinha um sentido natural para a magia e não mostrava nenhum dos receios que se esperaria encontrar num rapaz tão nervoso. — Mas tu *queres* ser negra?

— Sim, quero. Quero muito — respondeu Belladonna. E explicou-lhe tudo sobre o concurso e sobre Arriman. Era demasiado tímida para contar a Terence que estava apaixonada por Arriman, mas achou que ele talvez tivesse percebido. Era uma rapaz perspicaz. De repente, veio-lhe uma ideia à cabeça. — Terence, achas que... — Olhou para a minhoca, agora já bastante animada e a enroscar-se à volta do dedo dela. — Achas que o Rover poderia ser um *auxiliar?* Sabes, eu nunca tive nenhum. As outras feiticeiras têm, mas eu não. Achas — Belladonna estava a ficar cada vez mais entusiasmada —, achas que consegui enraizar a directora porque tinha o Rover na mão?

— Pode ser. — Terence estava tão entusiasmado quanto ela. — Só que eu pensava que os auxiliares eram normalmente gatos pretos, lebres, cabras, e coisas assim.

— Não. — E Belladonna falou-lhe do polvo chamado Doris e do porco-formigueiro da Madame Olympia e da Nuvem de Moscas.

— Ele é tão pequenino — exclamou Terence. Fez-se um silêncio, quebrado apenas por um grunhido furioso e sufocado da directora, por cujas pernas trepava decididamente uma aranha. — Mas se ele te ajudou — continuou Terence com redobrada coragem, tens de ficar com ele. Leva-o contigo, para ganhares o concurso.

Belladonna estava profundamente tocada.

— Não posso, Terence. Não posso separar-vos. Vocês pertencem um ao outro. De qualquer forma, não tenho qualquer esperança de, mesmo assim, vencer o concurso.

Mas Terence agarrou-se ao braço dela e, olhando-a nos olhos, implorou.

— Se não nos podes separar, será que não podias... Ó, por favor, *por favor,* será que não podias levar-me contigo? As feiticeiras têm criados, eu sei que têm. Diabinhos, espíritos malignos e coisas do género. Eu faria tudo por ti, *fosse o que fosse.*

— Ó Terence, eu adoraria, mas como? Estou alojada num hotel elegante e nunca te deixariam lá entrar. E, além do mais, as feiticeiras não se misturam com pessoas comuns, sabes bem. Nunca dá certo.

Mas a voz dela esmoreceu quando disse aquilo. Afinal, o que era certo para Terence? O Orfanato de Sunnydene? E que seria dele quando a Directora ficasse livre das raízes? Belladonna não tinha a menor ideia de quanto tempo o feitiço duraria e o brilho nos olhos da Directora, ao tentar inutilmente libertar-se das raízes, não augurava nada de bom para Terence.

Este não dizia nada. Estava parado, deprimido e derrotado, mas sempre estendendo a minhoca a Belladonna.

— Bom, que se dane — exclamou Belladonna, depois de uma decisão repentina. — Vamos *experimentar.* Pode ser que resulte.

Subiu para o muro, virou-se e esticou a mão a Terence. Depois, perseguidos pelos grunhidos sufocados da Directora enraizada, fugiram juntos, estrada abaixo.

6

Quando Belladonna regressou ao hotel, levou Terence imediatamente ao escritório do Gerente para falar com o Sr. Leadbetter e o ogre.

Encontrou-os muito desanimados. Tinha havido uma discussão por causa do porco de Ethel Feedbag, que não tinha sido ensinado a não fazer as necessidades dentro de casa. Quando o Gerente se queixou, Ethel (que também não fora convenientemente educada) respondeu:

— Vá ensinar a sua avózinha a chupar ovos! — Infelizmente, quando disse isto, tinha na mão a varinha de aveleira e, no minuto seguinte, o Gerente encontrava-se no lar de idosos em Bexhill-on-Sea, a segurar na mão um ovo cru, junto à mãe da sua mãe, uma frágil velhinha, ansiosa pelos seus cereais para o pequeno-almoço e que ficara muito aborrecida com a aparição.

A confusão demorou algum tempo a dissipar-se e então descobriu-se que a Maga Bloodwort tinha passado a manhã a andar para cima e para baixo no elevador do hotel e acabara por ficar encravada entre dois andares. Ao tentar relembrar o feitiço para fazer subir as coisas, confundiu-se e voltara a transformar-se numa mesa de café. Como as mesas de café não são capazes de carregar nos botões de emergência, causou uma grande dor de cabeça aos engenheiros.

Mas quando viram Belladonna, o secretário e o ogre ficaram muito contentes e cumprimentaram Terence com muita cortesia.

Belladonna não perdeu tempo a explicar tudo sobre Terence e o horrível orfanato de onde vinha.

— E trouxe-me este *magnífico* auxiliar! — disse ela.

— Ele ajudou-me a fazer uma coisa muito negra. Eu!

O ogre e o Sr. Leadbetter olharam em redor, pensando que lhes devia ter passado despercebido um búfalo de passo pesado ou uma loba com garras fortes, mas apenas conseguiam ver um rapazinho pequeno e magro e o seu olhar de espanto, fixo no único olho do ogre.

— Mostra-lhes, Terence — pediu Belladonna.

Então, Terence procurou no bolso e tirou para fora o pequeno Rover e pô-lo cuidadosamente sobre o mata-borrão do Sr. Leadbetter. O secretário e o ogre curvaram-se sobre ele e os corações caíram-lhes aos pés. Uma minhoca pequena e pálida, que fazia um delicado rumor ao arrastar-se, como se fosse uma folha arrastada pelo mais suave vento de Outono. E, por um momento, a esperança nasceu neles!

— Acha que tente a magia da máquina de escrever? — perguntou Belladonna ansiosamente. — Como sugeriu ontem. Um ninho de vespas, não era? Vá lá, Terence.

Terence pegou em Rover e pôs-se junto dela. Belladonna pousou levemente os dedos sobre a protuberância cor de malva que Rover tinha a meio do corpo e fechou os olhos. E, é ver para crer, a máquina de escrever sumiu-se com um sopro e em seu lugar apareceu uma massa retorcida de vespas sibilantes, com ferrões e olhos amarelos.

— Pobres bichinhos — lamentou Belladonna, esquecendo por momentos a magia negra —, parecem estar tão secos.

— As vespas estão sempre secas — explicou Lester —, portanto, não te apoquentes.

Mas o olhar que trocou com o Sr. Leadbetter espelhava ansiedade e excitação. Se Belladonna conseguia tornar-se uma feiticeira negra tão depressa, talvez ainda houvesse esperança!

— Espantoso! — exclamou o Sr. Leadbetter. Olhou de novo para Rover, tentando verificar se não lhe tinha escapado nada: um saco de veneno escondido ou um ferrão letal. Mas a minhoca, que agora trepava calmamente pela manga de Terence, era exactamente o que aparentava: simpática, modesta e húmida.

— Bom, eu tinha pensado — começou Belladonna, pondo o braço sobre os ombros de Terence —, talvez Terence *pudesse* ficar uns dias aqui? Rover pertence-lhe e apesar de ele mo ter oferecido, não *posso* tirar-lho.

O Sr. Leadbetter estava preocupado. Que diria o Gerente a outro hóspede? E as outras feiticeiras? Será que isso daria início a uma avalanche de amigos e parentes das feiticeiras a virem ficar no hotel? Pequenos Wrack e primos Shouter briguentos e galochas repugnantes?

Terence nada dizia. Limitava-se a aguardar. Era um rapaz que nunca tinha esperado muito.

O Sr. Leadbetter aclarou a garganta.

— Acontece — começou ele — que tenho uma irmã. O nome dela é Amelia. Amelia Leadbetter. O ogre e Belladonna olharam-no ansiosamente. Sabiam que o Sr. Leadbetter tinha trabalhado muito e que o excesso de trabalho pode fazer as pessoas ficarem levemente tresloucadas. — Na verdade, ela não chegou a casar — continuou ele. — Mas podia ter casado. Havia um vendedor de banheiras que gostava muito dela.

Os outros esperaram que continuasse.

— Não digo que o vendedor de banheiras se chamava Mugg, — prosseguiu o secretário —, porque não se chamava assim. De facto, o nome dele era Arthur Hurtleypool. Lembro-me bem porque contavam muitas anedotas sobre ele. Ainda assim, se o apelido dele *fosse* Mugg e se ele tivesse casado com a minha irmã Amelia e se o casamento tivesse sido abençoado como um filho, então esse filho — concluiu o secretário — seria inegavelmente meu sobrinho.

— Seu sobrinho, o Terence! — exclamou Belladonna, depois de perceber onde ele queria chegar.

— Precisamente. E nada mais natural do que a minha irmã Amelia ter de ser operada ao apêndice e pedir-me para ficar com Terence, não acham?

— Ó Sr. Leadbetter, o senhor é maravilhoso — gritou Belladonna, abraçando o secretário, coisa de que ele muito gostou.

Terence parecia ter engolido uma vela acesa. Mas quando finalmente abriu a boca, foi para dizer com hesitação:

— Se eu fosse seu sobrinho, eu não teria… — Era demasiado tímido para terminar, mas os seus olhos voltaram-se para o Sr. Leadbetter e aí se fixaram. O secretário era um homem modesto, de tal modo que costumava esconder o coto dentro das calças, mas Terence era um rapaz a quem nada escapava.

— Uma cauda? — perguntou o Sr. Leadbetter.

Terence assentiu com a cabeça.

— Eu podia pôr-lhe uma pequenina — disse Belladonna. — Mesmo sem Rover. Fazer caudas é uma magia *crescente* e não há nada mais branco que isso. Mas não sei… acho Terence perfeito como é.

Terence olhou-a espantado. Belladonna estaria a gozar com ele? Mas não, os olhos de pervinca de Belladonna eram limpos, ela olhava-o com carinho. Teve de se afastar um pouco, pois ficara com um nó na garganta.

— Honestamente, Terence — replicou o Sr. Leadbetter —, se *conseguisses* arranjar-te sem uma, era muito melhor. Não tens problemas para te sentares. E a minha irmã Amelia, tanto quanto me lembro, não tinha cauda.

Terence não insistiu. Poder estar próximo de Belladonna, saber que a *sua* minhoca podia ajudá-la a satisfazer o desejo do seu coração, já era felicidade suficiente. Só alguém realmente muito ambicioso e indisciplinado poderia também esperar obter uma cauda.

— Mas vou dizer-te uma coisa — disse Lester. — Eu não diria nada sobre os poderes de Rover. Eu deixava Terence cuidar dele e fingir que é apenas um animal de estimação. Se se souber que Rover dá a Belladonna metade das possibilidades de ganhar o concurso, ele não dura muito tempo.

— Ó não, *ninguém* seria capaz de fazer mal a uma minhoca inocente como essa! — exclamou Belladonna.

— Agora, Belladonna, tente *pensar* negro e aja em conformidade. Já houve suspeitas de mais por causa de Doris. Andava a cambalear pela banheira, bêbada que nem um cacho e com uma péssima cor esverdeada. A Menina Wrack disse que Doris nunca tinha tocado numa gota de álcool, portanto, alguém devia ter--lho enfiado pela garganta abaixo.

— *Pobre* Doris! Ela já está bem? — perguntou Belladonna.

— Bom, parece que esteve a tomar banhos de sais. Mas isto mostra — continuou Lester, com a voz ensombrada — que não se pode confiar em nenhuma dessas feiticeiras e muito menos em Madame Olympia.

Um arrepio espalhou-se pela sala quando se lembraram do cruel sorriso da fada e do colar de dentes humanos.

— E as galinhas das Shouter? Sabe bem que elas a seguem para todo o lado. Uma bicada em Rover e voltava a fazer desabrochar begónias — prosseguiu o ogre.

Belladonna percebeu o sentido de tudo aquilo.

— Elas não *fariam por mal*, é claro; depois acabariam por se sentir muito mal, mas ainda assim... — Voltou-se para Terence.

— Está bem, vais ser o *guarda-costas* de Rover e cuidar dele. Quando eu quiser fazer uma magia, podes ficar junto a mim e eu toco-o sem que ninguém veja.

— Esse é o truque — disse o ogre.

Ficou decidido que Terence dormia numa cama de campanha, no quarto do Sr. Leadbetter e ajudava no que fosse preciso até chegar a hora de ir para Darkington. Quando Belladonna voltou a transformar as vespas na máquina de escrever, ela e Terence foram lavar as mãos e preparar-se para o almoço.

À tarde, o Sr. Leadbetter levou as feiticeiras a uma grande loja chamada Turnbull and Buttle, onde compraram os vestidos pretos, compridos e as capas que iam usar para o concurso. Pensou que Lester o ajudaria, mas Arriman chamou-o no exacto momento em que estava prestes a meter na boca uma colher de frito de banana e levou-o em segredo. Assim, foi o Sr. Leadbetter quem teve de escoltar as feiticeiras até ao terceiro andar da loja e foi ele quem teve de impedir Mabel Wrack de saltar para a banca de venda de peixe e fazer com que os cigarros que voaram pelo ar e foram cair nas malas de mão das gémeas Shouter fossem devolvidos. Teve ainda de explicar ao jovem que estava detrás do balcão das luvas que não podia casar de imediato com Belladonna.

Felizmente, os vestidos já estavam à espera delas: pretos, com capas, como as professoras primárias costumavam usar, e suficientemente compridos para chegarem ao chão e esconderem os chinelos da Maga Bloodwort e as galochas de Ethel Feedbag. Assim, com as máscaras de carnaval que a loja tinha encomendado especialmente para a ocasião, não havia realmente forma de distinguir quem era quem.

Mas quando chegou a vez de Madame Olympia experimentar o vestido, ela fez uma cena muito feia. Durante todo o dia, a fada tinha permanecido arrogantemente no quarto. Pediu que lhe levassem as refeições ao quarto e encomendou especialidades muito estranhas para o porco-formigueiro e ainda pôs à porta sete pares de sapatos, para o pobre engraxador limpar. Estava agora a olhar para o seu vestido simples, de algodão, e perguntou:

— Estão *doidos* ou quê? Acham que consigo fazer magia com esse *trapo* vestido?

55

— Parece-me que todas as feiticeiras terão de usar vestidos iguais — explicou o Sr. Leadbetter. — É uma das regras do concurso.

— Então, as regras têm de ser quebradas — replicou ela, fixando-o com um brilho maldoso no olhar.

É impossível contar o que teria acontecido em seguida, mas nesse momento, a Maga Bloodwort, que tinha estado a descansar numa pequena cadeira dourada, soltou um grito de excitação.

— É o meu dedo grande! Aconteceu. Sinto-o!

Belladonna pousou o vestido e correu para ela.

— Que se passa, Maga Bloodwort?

— É o feitiço para voltar a ser jovem! Tenho estado a trabalhar nele toda a semana e agora o meu dedo grande começou a latejar. É mais esgravatar, como uma galinha a preparar-se para partir.

Começou a escarafunchar debaixo da blusa, que cheirava a mofo, tirou as meias, abanou as ligaduras cinzentas que pendiam em volta do seu tornozelo, como se fossem ratos mortos e espetou o pé descalço no ar.

As empregadas da loja, espantadas, aproximaram-se; as feiticeiras amontoaram-se em volta dela.

— Está… mais *rosado* que os outros, tenho quase a certeza — disse Belladonna, por fim. — E está um pouco… *mais cheio*.

— Disparate — replicou Nancy Shouter. — Está exactamente como os outros e tem muito mau aspecto.

— Inventaste tudo — acrescentou Mabel Wrack, contraindo os lábios de bacalhau.

— E as tuas unhas precisam de ser cortadas.

Os comentários maldosos das outras feiticeiras não se fizeram esperar. Uma coisa tinha de se admitir, o dedo da Maga Bloodwort estava exactamente como os outros: amarelado, retorcido e com uns pelinhos no ar.

Mas ela não se deixava desanimar.

— Ainda hão-de ver, um dia, todas vocês. Quando eu tiver conseguido o resto da magia, hão-de ver: vou ser tão jovem, que vou ter de usar fraldas outra vez!

Deixou que Belladonna a ajudasse com as meias e a levasse para o autocarro. Tinha sido um dia muito animado.

Quando Lester deu por si a ser levado para Darkington a meio dos fritos de banana, teve um pressentimento de que o amo não estava nos seus melhores dias, e não se enganou. Arriman chamou-o para lhe dizer que as feiticeiras não podiam ficar na casa durante o concurso.

— Mas, Senhor — começou Lester.

Arriman, que estava na biblioteca, acenou com a mão.

— Não tentes dissuadir-me, Lester. Mesmo que elas fiquem na Ala Este, como sugeriste, mesmo que fiquem completamente cobertas pelos vestidos e pelas capas, não consigo encará-las.

Lester tentou não o demonstrar, mas aquilo aborrecia-o muito. Parecia-lhe que Arriman estava a fazer tudo o que podia para dificultar cada vez mais o concurso. Afinal de contas, se o que ele queria era uma feiticeira negra, por que se importava com umas verrugas com pêlos ou uma lesma marinha no olho de alguém? Por um momento, hesitou em mencionar a chegada de Madame Olympia. Arriman ainda não a tinha visto e talvez ela fosse mais o tipo dele. Quanto a Belladonna, decidiu nada dizer a esse respeito. Se ela não ganhasse, a desilusão já seria suficientemente grande, não era preciso estar a levantar falsas esperanças.

— E então onde vão ficar? — perguntou.

O rosto de Arriman iluminou-se.

— Tive uma ideia. Quero que elas acampem no Prado Oeste, o que fica em frente ao portão principal. Aí ficam longe do meu caminho.

— Mas, senhor, estamos em Outubro! Elas vão ficar geladas!

— Não, não, de forma alguma. Abraçadas, isso é que elas vão ficar. Enrijadas. Àqueles sacos de cama de nilon são bons, segundo me disseram. Agora vais ter de me desculpar, Lester, os juízes chegam esta noite.

Quando vinha sair da biblioteca, Lester encontrou o Vigilante Mágico.

— Que tal o achaste? — perguntou a Cabeça da Esquerda.

— Doido — respondeu o ogre. — Quer que as feiticeiras acampem no Prado Oeste. Não as quer dentro de casa.

O monstro suspirou.

— Deu-lhe forte — disse a Cabeça do Meio. — Podes imaginar como nos sentimos por o termos desapontado.

— Ainda assim, se o feiticeiro não vinha, que mais podíamos fazer? — acrescentou a Cabeça da Esquerda.

— E ele, definitivamente, não veio — retorquiu a Cabeça da Direita.

Então o monstro contou a Lester que tinha pedido umas férias durante o concurso. Ia pegar na mochila e dar umas voltas por aí.

— É claro que estaremos de volta para o casamento — disse a Cabeça do Meio. — Mas estamos a precisar de uma pausa.

Lester assentiu com a cabeça. Apesar de tudo, percebia que o Vigilante Mágico sentia que, de certa forma, tinha falhado na sua missão e precisava de ficar só até se sentir melhor.

— E que se passa com Lorde Simon? — inquiriu ele. — Parece-me que o velhote se tem encontrado com ele demasiadas vezes, não é?

Mal acabou de falar, ouviu-se um gemido, seguido do bater da armadura e o espectro oco e sombrio do assassino de esposas passou por eles no corredor.

— Vai observar a refeição do velhote — comentou a Cabeça do Meio, em tom de desaprovação.

— São como unha e carne — acrescentou a Cabeça da Direita.

— Não consigo perceber aquela de ele andar a bater na maldita testa queixou-se a Cabeça da Direita. — Se matou as mulheres, matou-as e *pronto!*

A grande e íngreme testa de Lester estava tão enrugada, que a pala do olho parecia vogar sobre mar encapelado.

— Isto não me agrada — disse ele. — Passa-se qualquer coisa de suspeito entre esses dois, podem acreditar.

Deu um suspiro e tirou um sabre do pote das sombrinhas. No hotel nunca havia nada de bom para engolir.

— Estou pronto, Senhor — gritou para Arriman, que estava no andar de cima.

E desapareceu num sopro de ar.

7

A notícia de que as feiticeiras deveriam acampar perturbou muito o Sr. Leadbetter. Uma vez, antes de começar a trabalhar para Arriman, tinha acampado durante as férias, no Sul de França. Lembrava-se da enorme filha de um ferreiro de Berlim, que se tinha perdido, à noite, a caminho da tenda, e tinha tropeçado nas espias da tenda dele, indo estatelar-se no chão. Não conseguia esquecer um velhinha grega, que cortava as unhas dos pés na bacia de lavar a roupa e três italianos queimados pelo sol, que andavam para cima e para baixo com transístores em altos berros, presos à cintura. Recordava-se ainda do sapo morto, encontrado no chão dos duches e da dona de casa luxemburguesa que depilava as pernas, sentada nos degraus da *roulotte.* Quando se lembrou de que estas eram pessoas *normais,* a ideia do que as feiticeiras seriam capazes de fazer fê-lo lamentar-se em voz alta.

— Às vezes não sei o que fiz para merecer isto, Lester, honestamente, não sei — queixou-se ao ogre.

Mas acabou por sair, como bom secretário que era, para encomendar tudo o que achava ser preciso: tendas, sacos-cama e cadeiras de dobrar, e mandou que enviassem tudo para Darkington. Depois, pediu emprestado o chapéu alto do gerente e escreveu sete números em pedaços de papel, que pôs dentro chapéu; deixou-o depois em cima do banco do piano, na sala de baile, pronto para que as feiticeiras sorteassem o seu lugar no concurso no dia seguinte.

— Talvez Madame Olympia queira ser a primeira a tirar um número? — sugeriu ele, quando as juntou a todas, depois do pequeno-almoço.

Então a fada, puxando o porco-formigueiro pela coleira, chegou-se à frente e pôs a mão dentro do chapéu.

— Isto é alguma brincadeira? — perguntou com desdém, pondo sobre o banco do piano o que acabara de tirar do chapéu.

Era um ovo.

— Esse ovo foi posto pela *minha* galinha — disse Nancy Shouter.

— Isso é que não foi. Esse ovo foi posto pela *minha* galinha. Era capaz de o reconhecer em qualquer lado.

As outras aproximaram-se. Sempre que um auxiliar põe um ovo, há grande reboliço. Tanto podia estar lá dentro um pequeno dragão ou uma mancha negra que seria treinada para ser um demónio — qualquer coisa — e, ao menos desta vez, conseguiam ver o motivo da discussão entre as irmãs Shouter.

O Sr. Leadbetter suspirou. Queria tanto continuar com o sorteio...

Ethel Feedbag chegou-se à frente. Como trabalhava na Fábrica de Embalamento de Ovos, era tida como perita naquele assunto.

— Esse ovo — pronunciou-se ela — é simplesmente, um ovo.

Isto, claro está, fez com que as Shouter voltassem à carga.

— Como *te atreves* a sugerir que a *minha* galinha poderia pôr um ovo vulgar?

— A tua galinha, não. A *minha!*

Ethel encolheu os ombros. Nancy Shouter pegou no ovo. Nora Shouter tentou tirar-lho. No segundo seguinte, estavam todas a olhar para a clara do ovo, a gema amarela e bocados de casca que se tinham espalhado pela alcatifa.

Ethel continuava na mesma. Fosse qual fosse a galinha que o pusera, era apenas um ovo.

Quando finalmente voltaram ao sorteio, o resultado foi este: Mabel Wrack seria a Número Um, o que significava que seria a primeira a fazer a sua magia. Ethel Feedbag era a Número Dois e as gémeas Shouter tiraram o três e o quatro. A Maga Bloodwort era o Número Cinco e Madame Olympia, a Número Seis. A feiticeira a fazer a sua magia em último lugar, na noite do *Hallowe'en* e que tirara o Número Sete, era Belladonna.

— Vai ser um belo *Hallowe'en* — comenta Nancy Shouter, com desdém. — Rouxinóis por todo o lado e anjos a cantarem Aleluias, bem posso imaginar.

Antes, aquelas palavras não teriam magoado tanto Belladonna, mas naquele dia entristeceram-na muito. Ainda havia uma hora atrás, com Rover e Terence, tinha transformado o cinzeiro do quarto dela numa caveira horripilante.

Havia apenas mais uma coisa para as feiticeiras fazerem, de certa forma, a mais importante de todas. Tinham de decidir que magia iam fazer e elaborar uma lista do material necessário, para que este pudesse ser preparado para elas em Darkington Hall. Todas as feiticeiras pareciam saber — era possível observá-las a conspirarem, a esconderem bocados de papel umas das outras e a sussurrarem pelos cantos — mas Belladonna não sabia o que fazer. Ser uma feiticeira negra requer muita prática e uma forma completamente diferente de pensar. Quando tentou encontrar uma magia suficientemente malvada para agradar a Arriman, varreu-se-lhe tudo.

— Terence, como *gostava* de saber o que fazer — confessou ao rapazinho, sentado a seu lado, na cama.

Desde que tinha deixado o orfanato, havia dois dias atrás, Terence parecia mudado. Os olhos cor de lama tinham-se tornado mais brilhantes e mais vivos, o cabelo já não estava agarrado à cabeça, mas esvoaçava, cheio de vida, e tinha os óculos postos na ponta do nariz, o que lhe dava um ar mais jovial. A felicidade é quase tão boa como a magia para modificar a aparência de uma pessoa.

— Acho que Mabel Wrack vai fazer alguma coisa com água e peixes — prosseguiu Belladonna. — E Ethel Feedbag vai com certeza fazer algo que tenha a ver com o campo. Quanto a Madame Olympia… — pensar na magia de Madame Olympia era, de certa maneira, uma coisa horrível e Belladonna não concluiu a frase.

Pegou no espelho. Arriman estava a fazer paciências — não estava exactamente a fazer batota, mas às vezes dava um *jeitinho* às cartas. A expressão sombria e pensativa do rosto dele fez o coração de Belladonna apertar-se. Estava prestes a pousar o espelho, quando uma sombra cinzenta e ondulante passou pela superfície e viu Arriman levantar a cabeça, curioso.

— É Lorde Simon? — perguntou Terence. Era a primeira vez que via o espectro malvado.

Belladonna disse que sim, com a cabeça.

— Ele é o melhor amigo de Arriman.

— Por que está ele a bater assim na testa? — quis saber Terence.

— É por causa da culpa, por ter assassinado as suas sete mulheres. Lester diz que o barulho que faz se parece com água a cair, mas não conseguimos ouvi-lo porque o espelho é mudo.

— Ele só faz isso? Não fala nem nada? — inquiriu Terence. Belladonna abanou a cabeça.

— Tens de te lembrar que ele está morto há quatrocentos anos. A língua já deve estar um pouco presa. — Deu um suspiro. — Arriman deve sentir-se tão *só*, com um amigo que não consegue dizer nada. Quero dizer, o barulho de água a cair não é a mesma coisa que falar.

De repente, Terence soltou um gritinho e Belladonna percebeu que, por detrás dos óculos, os olhos cor de lama cintilavam com a excitação.

— Belladonna, tive uma ideia *maravilhosa!* Por que é que não tentas ressuscitar Lorde Simon? Dar-lhe vida de novo?

Belladonna olhou-o fixamente.

— Eu não *poderia* fazer isso, Terence. *É impossível.* Essa é a mais negra de todas as magias do mundo. Por causa dela, feiticeiras foram queimadas, enforcadas, esquartejadas e empaladas.

Terence parecia achar que aquilo não importava.

— Mas queres ser uma feiticeira negra ou não? De que vale ser só um bocadinho negra? Se queres ganhar, tens de fazer a coisa mais horrível que há.

— Sim, mas eu não sou *capaz.* Arriman nunca conseguiu e Lester diz que ele já tentou vezes sem conta.

— Arriman não tem Rover — retorquiu Terence.

Belladonna calou-se. A fé do rapazinho na sua minhoca era comovente.

— Terence, achas mesmo que eu consigo?

— *É claro* que consegues. Pensa como isso faria Arriman feliz. É o que queremos quando amamos alguém, não é? Torná-los felizes?

Tinha *adivinhado* o segredo dela.

— Sim — respondeu Belladonna calmamente —, é isso que queremos.

Levantou-se e dirigiu-se à caixa de madeira que Terence arranjara para Rover estar, quando não andava no bolso, dentro da caixa de fósforos. Saber que a minhoca estava ali, aninhada debaixo de camadas de terra húmida e rica, fê-la sentir-se imediatamente malvada, mais malvada e mais negra.

— Então, o que é que ponho na minha lista? Para fazer necromancia são precisas coisas pavorosas. Sangue de ovelha quente, acho eu... *poços*... e coisas assim.

Terence reflectiu naquilo.

— Eu não me preocupava com isso — disse ele. — Acho que as pessoas que não têm Rover precisam dessas coisas. Parece-me que só tens de *pensar* negro.

Belladonna pegou numa folha de papel com o timbre do hotel e escreveu: *Feiticeira Número Sete: nada* e desceu ao escritório, para entregar a lista ao secretário e ao ogre.

O Sr. Leadbetter tinha acabado de ler as listas que lhe tinham sido entregues pelas outras cinco feiticeiras e, depois fez algo bastante invulgar. Sentou-se. Nem mesmo a dor que sentiu ao comprimir a cauda contra a cadeira o manteve em pé. Esperara que as feiticeiras quisessem coisas como cadinhos e turíbulos (seja lá isso o que for), cera para fazerem imagens, talvez um pouco de erva-da-lua ou de mercúrio — esse tipo de coisas. Mas não; as feiticeiras tinham realmente entrado em delírio.

— Sete princesas! — gritou ele, segurando na mão a lista que a camareira tinha escrito para a feiticeira Número Cinco. — Quem é que ela pensa que sou?

Lester pegou habilmente no punho do sabre, que lhe saía pela boca e puxou-o para fora da garganta.

— Estas vão ter de ir para Darkington — disse ele enquanto se dirigia para trás da secretária. — Vamos tratar das coisas mais fáceis, mas o velhote tem de passar o resto do dia a fazer magia para arranjar as outras. *Eu* não vou ao Turnbulland Buttle comprar Sete Princesas do Real Sangue, e tu também não.

O Sr. Leadbetter concordou, acenando a cabeça. Por muito que detestasse não fazer o que Arriman pedia, era óbvio que Lester estava certo.

Foi nessa altura que Belladonna bateu à porta e delicadamente meteu a sua lista por debaixo dela.

— Esta rapariga é uma querida — comentou o Sr. Leadbetter, depois de a ter lido. — Nunca nos causa problemas.

Porém, secretamente, o ogre e o secretário estavam ansiosos e desanimados. Isto quereria dizer que Belladonna tinha voltado a ser branca? Que ela nem sequer ia tentar? Que tipo de magia poderia ela fazer com *Nada?*

Entretanto, em Darkington Hall, os juízes convidados acabavam de chegar.

Quando o concurso foi sugerido pela primeira vez, Arriman pensara em arranjar um painel de juízes semelhante aos que existem nos concursos de Miss Mundo ou nos Jogos Olímpicos. Mas as pessoas que realmente percebiam de magia eram cada vez mais difíceis de encontrar e, de qualquer forma, depois de ter *visto* algumas das feiticeiras, Arriman sentia-se tão melancólico, que só queria terminar tudo da maneira mais simples possível. Tinha escrito a uma senhora chamada Megera de Dribble a perguntar-lhe se estaria disposta a ser juiz, mas ela não respondeu ao convite. Só lhe restava um espírito fraco e velho, chamado Henry Sniveller e um génio chamado Sr. Chatterjee.

O Sr. Chatterjee, como a maioria dos génios, vivia numa garrafa, da qual saía se alguém dissesse as palavras certas e se lembrasse de tirar a rolha. Era um génio indiano que sofria tanto com o frio, que preferia ficar dentro da garrafa e falar através do vidro. O seu forte sotaque indiano fazia com que fosse muito difícil entendê-lo, mas era um bom avaliador de magia. Vivera muito tempo no oriente, onde se fazem coisas muito interessantes como fazer pessoas voar sentadas em Tapetes Voadores e depois fazê-las regressar tão de repente, que os seus traseiros acabam por ficar espetados nos espinhos.

O Sr. Sniveller era uma pessoa muito diferente: um espírito silencioso, que vivia por de trás de um matadouro, numa cidade satânica do norte e passava a noite a vasculhar os caixotes do lixo, à procura de estranhas coisas vermelho-sangue, algumas das quais comia e outras coleccionava. Os espíritos não são particularmente bons em magia, mas não há nada de mais negro, mais soturno ou mais malvado, do que um espírito, e Arriman sabia que tinha tido sorte em arranjá-lo.

Os três estavam agora sentados à volta da mesa de carvalho que estava na Sala Grande, onde a luz da lareira bruxuleava, os corvos crocitavam nos barrotes e, num tapete, o Vigilante Mágico deprimido descansava a cabeça. Arriman não estava deprimido — as feiticeiras estavam para chegar daí a uns dias — e o simpático Sr. Chatterjee, que estava a jantar dentro da garrafa, por causa das correntes de ar, fazia os possíveis por o animar.

— Meu Deus, acho que não vai ser assim tão mau ter uma esposa — disse, na sua voz doce e melodiosa, sugando o esparguete que Arriman lhe tinha posto no prato. Apesar de pequeno, estava muito bem vestido, com um turbante branco e uma túnica escarlate, ponteada a ouro.

O espírito não era da mesma opinião.

— Uhh! — exclamou ele. E como acabara de engolir um pedaço de peixe: — Humm...

Arriman estava a começar a explicar o concurso e como este deveria ser julgado, quando se ouviu o som de água a cair e gemidos e Lorde Simon apareceu por detrás da tapeçaria e virou o rosto pálido e horripilante, na direcção de Arriman.

— Sabem — disse o mago em tom melancólico —, ele está a tentar avisar-me. Foi casado sete vezes e cada uma das mulheres o levou ao assassínio. Muito simplesmente, *levou-o*.

— Valham-me os deuses! — exclamou o Sr. Chatterjee, muito perturbado. — Como é que ele matou tantas?

Arriman encolheu os ombros.

— Usando os métodos habituais, acho eu. Afogou, esfaqueou, estrangulou e outros parecidos.

— Então, ainda bem que é só um fantasma — disse o pequeno génio — ou a sua nova mulher poderia talvez ser a Numero Oito.

Arriman olhou-o incrédulo, por debaixo das espessas sobrancelhas. — Ele só mata as *suas* próprias esposas — explicou. Mas, por instantes, fitou o fogo, absorto, como se uma ideia nova e importante lhe tivesse vindo à cabeça.

— Bem, cavalheiros — disse, por fim. — Vamos ao que interessa. Pensei em dar dez pontos a cada feiticeira. Dois para a magia negra, dois para o poder, dois para a apresentação...

Ouviu-se um ligeiro estalido e o Sr. Chatterjee saiu da garrafa e quase atingiu um tamanho normal. Como muitos génios, levava muito a sério o seu trabalho.

Durante a hora seguinte, enquanto as sombras se estendiam e o Vigilante Mágico dormia, os juízes do concurso para Miss Feiticeira de Todcaster debruçaram-se sobre a sua difícil tarefa.

8

O acampamento das feiticeiras não era tão mau como o Sr. Leadbetter pensara que seria. Era pior.

Não se passava nada de errado com o lugar do acampamento. Este era bastante bonito. O Sr. Leadbetter encomendara uma caravana para a Maga Bloodwort, que lhe parecia demasiado velha para poder ficar debaixo de lonas, e tendas e um bloco sanitário com duches e a mais avançada sanita química. Mas as feiticeiras ainda não estavam no Prado Oeste há 24 horas, quando o pandemónio se instalou.

Para começar, a Maga Bloodwort nunca chegou a entrar na caravana que lhe estava destinada. Madame Olympia apossou-se dela imediatamente, sem ninguém perceber como, e instalou-se lá com o porco-formigueiro, desprezando as outras, e recusou-se a fazer a sua parte nas tarefas. Nancy e Nora Shouter passaram a primeira noite a discutir qual delas tinha a melhor cama de campanha e acabaram a espetar navalhas nos respectivos colchões de ar. O porco de Ethel Feedbag escapou da jaula, chocou com a tenda da Maga Bloodwort e atirou-a pelos ares, enquanto ela tentava aplicar uma cataplasma de sangue de rato por debaixo da camisa de noite. E Mabel Wrack teimou em usar o caldeirão para dar um banho a Doris, o que fez com que as papas do pequeno-almoço tivessem um sabor muito peculiar.

Belladonna, claro está, foi encarregue de ir buscar água, cozinhar e lavar a roupa; por mais que tentasse agradar a todas — até refogou olhos de bacalhau para Mabel Wrack e grelhou ouriços esmagados em tijolos quentes para Ethel Feedbag — nada recebia em troca, a não ser resmunguice e escárnio pelas suas dores.

E Belladonna tinha os seus próprios problemas. O Sr. Leadbetter e o ogre tinham voltado aos seus quartos, na casa grande e, como Terence era suposto ser sobrinho do Sr. Leadbetter, ele tinha-lhe arranjado um pequeno quarto, junto ao do secretário, na ala dos criados. Isto significava que Rover também estava longe, a uma grande distância, a dormir na sua caixa de madeira, debaixo da janela de Terence. O velho problema de Belladonna estava a voltar muito pior. Na primeira manhã, quando acordou, descobriu que o saco-cama se tinha transformado num canteiro de flores-da-paixão — umas coisas grandes e carregadas de pólen, que a faziam espirrar e lhe davam uma comichão insuportável. Quando abriu a porta da tenda, descobriu seis coelhinhos de olhos brilhantes e orelhas retorcidas, à sua espera, com as patinhas no ar.

— Eu agora já não sou uma feiticeira branca, vocês sabem — exclamou, zangada. Mas, como era claro, deixou-os entrar e fez-lhes aparecer uma alface no chão da tenda, para eles comerem. Era óbvio que estavam para ficar.

Mas se a vida no acampamento no Prado Oeste não era fácil, na casa, as coisas também não estavam a correr bem. O Sr. Sniveller, o espírito, que dormia na Sala das Tapeçarias, teve imensa dificuldade em quebrar o hábito de anos e passou a noite a tirar fungos das paredes da cave e a surripiar do frigorífico carne crua picada para levar para o quarto. Isto fazia com que normalmente estivesse muito cansado durante o dia e adormecesse em todo o lado. Depois, acordava de repente e dizia coisas estranhas como «Sangue!» ou «Baba!», o que dificultava em muito a manutenção de uma conversa com sentido. O pobre Mr. Chatterjee apanhou uma constipação e passava o tempo a espirrar dentro da garrafa, de tal forma que o vidro ficava embaciado e não conseguia ver nada do lado de fora. Quanto a Arriman, bom, como Lester disse:

— Qualquer pessoa seria levada a pensar que ia ser decapitado, tal era o estado de espírito dele.

Com toda a azáfama que antecedia o começo do concurso, Terence revelou-se extremamente valioso. Fazia recados, descobria o paradeiro das meias do Mago, tirava os bocados de estuque, cheios de vermes, da cama do Sr. Sniveller e enchia a garrafa do Sr. Chatterjee com lenços de papel, para que o pequeno génio pudesse assoar o nariz inchado. Tudo isto era feito com prazer e alegria porque Darkington, com o seu labirinto endemoinhado, o laboratório malcheiroso e o jardim zoológico horripilante parecia-lhe o lugar mais encantador do mundo.

Nas alturas em que não estava ocupado, Terence estudava Lorde Simon Montpelier. Ficou a saber tanto sobre o malvado assassino de esposas como o próprio Arriman. Descobriu que o espectro costumava aparecer em primeiro lugar no armário das vassouras, onde fazia o aquecimento com alguns gemidos, meia dúzia de pancadas estranhas e mais um ou dois gemidos, antes de se entregar à actividade mais séria de bater na cabeça, fazendo aquele som que lhe era peculiar. Depois, sem parar de o fazer, o infeliz fantasma começava pela lavandaria, ia escadas acima até à biblioteca, passava através de algumas caixas de livros e um bisonte embalsamado e acabava no Salão Grande, surgindo de uma tapeçaria com um homem a ser queimado na fogueira enquanto o cravavam de setas, e acabava com o apetite de quem quer que estivesse a jantar no Salão.

—Vais ver — disse Terence a Belladonna, que estava a mexer o jantar das feiticeiras no acampamento. — Vai ficar absolutamente espantoso quando for ressuscitado. Quando nos aproximamos dele, o rosto está muito estragado e a face tem um aspecto repugnante. Quando irromper da parede, *vivo*, será sensacional.

— Espero bem que sim, Terence — respondeu Belladonna. Os coelhinhos não tinham desaparecido, nem as flores-da-paixão e a árvore por detrás da tenda dela estava cheia de peras douradas. — Diz-me — prosseguiu ela —, como é que Ele está? Ainda está muito triste?

Estava, obviamente, a referir-se a Arriman. Raramente o Grande Mago lhe saía da cabeça.

— Bem, está um bocado. Não pode esquecer-se de que ele nunca a viu e não sabe que vai ganhar.

— Não — retorquiu Belladonna. — Ele realmente não sabe *isso.*

Já se sentia mais negra e mais esperançada. Era assim sempre que Terence estava junto dela.

E foi assim, finalmente, depois de toda a confusão e de todos os preparativos, que o primeiro dia do concurso chegou.

Mabel Wrack — Feiticeira Número Um — levantou-se cedo e passou duas horas debaixo do chuveiro para que as pernas não secassem no grande dia. Vestira-se com cuidado, pondo o broche feito com a lesma marinha debaixo do vestido, mas não estava nervosa. Como a mãe tinha sido uma sereia, Mabel era um quarto peixe e, como é sabido, os peixes têm sangue frio e nunca se preocupam.

Como todos esperavam, Mabel decidiu fazer a sua magia junto ao mar. Escolheu um lugar chamado Caldeirão do Diabo: uma baía arenosa, ladeada de sinistros rochedos de granito e coberta de pedras partidas às quais algas marinhas negras se tinham agarrado.

Atrás da areia, havia uma faixa de relva e era aí, junto à mesa feita com um cavalete, que Lester trouxe, que os juízes se sentaram. Arriman, o Horrível, usava o seu manto de estrelas e estava sentado no meio deles; o Sr. Chatterjee (dentro da garrafa por causa da brisa fresca) estava à esquerda do Mago e, à direita, pálido e exausto, depois de uma noite passada a deambular pela casa, estava o Sr. Sniveller. As outras feiticeiras, com capas e máscaras postas, para que Arriman não lhes pusesse os olhos em cima, nem mesmo acidentalmente, aconchegavam-se atrás de um tufo de urzes; todas menos Madame Olympia, que, cheia de arrogância, não se dignou deixar a caravana.

Arriman levantou-se para discursar. Declarou aberto o Concurso de Miss Feiticeira de Todcaster e deu as boas-vindas a todas as concorrentes. Lembrou as regras — qualquer feiticeira que faça magia negra a outra feiticeira ou aos seus auxiliares será desclassificada; as concorrentes não devem mostrar o rosto aos juízes e a decisão destes não é revogável. Depois, sentou-se e o Sr. Leadbetter, gritando através de um megafone, como os directores de filmes, disse:

— Feiticeira Número Um, avance!

As outras feiticeiras e algumas pessoas da aldeia, que tinham subido pelos rochedos, bateram as palmas e Mabel saiu detrás do tufo de urzes. Só se lhe via o queixo por detrás da máscara, mas isso era suficiente para fazer com que Arriman desejasse ardentemente que ela fosse para o mar numa peneira e se afogasse.

— Apresente a sua lista — ordenou o Sr. Leadbetter e Mabel dirigiu-se à mesa dos juízes com o papel na mão. Com a caligrafia cuidada de um guarda-livros, Mabel escrevera:

1 um gongo (alto)
2 alguns anéis de ouro
3 um marinheiro afogado

— O gerente do hotel foi muito gentil por nos emprestar o seu gongo — disse o Sr. Leadbetter. — E arranjámos os anéis de ouro no Woolworth. Mas há um problema com o marinheiro afogado.

— Hummm — murmurou Arriman, parecendo algo incomodado. Havia um lugar chamado a Arca de David Jones onde era suposto que fossem guardados os corpos dos marinheiros afogados, mas nunca tinha pensado naquilo. Parecia complicado e, acima de tudo, Arriman detestava *complicações*.

Então, teve uma ideia e sorriu.

— Dá-me a minha varinha de condão, Leadbetter — pediu ele e depois fechou os olhos. No segundo seguinte, um esqueleto preso com bocados de arame, rodopiou pelos ares e veio aterrar aos pés da feiticeira.

— Preciso de um *fresco* — queixou-se Miss Wrack. — Um que ainda tenha carne. É para servir de isco.

— Se a Feiticeira Número Um não está satisfeita — retorquiu Arriman asperamente, com fogo a sair-lhe das narinas —, pode retirar-se do concurso.

— Bom, esse serve — respondeu Mabel, amuada. — Mas a forma dele é muito estranha.

Isto era verdade. O esqueleto tinha, realmente, pertencido ao laboratório de Biologia de uma grande escola secundária nas Midlands e o pobre cavalheiro não tinha sido marinheiro, mas sim um cangalheiro que gostava de vadiar de barco e caíra num canal em 1892. Devido aos descuidos dos alunos e ao facto de o professor de Biologia não ser capaz de manter a ordem, o esqueleto tinha ficado mal montado. O crânio estava virado de trás para a frente, faltavam três ossos dos dedos e, por alguma razão, parecia ter três coxas.

— Anuncie a magia que vai fazer — gritou o Sr. Leadbetter pelo megafone.

Mabel Wrack virou-se para os juízes. Tinha tirado Doris de dentro do balde e atirou descuidadamente os tentáculos do auxiliar à volta do pescoço, como se fossem uma estola de marta, enquanto segurava o corpo do animal debaixo do braço, espremendo-o para dele tirar poder e magia, como alguém que estivesse a tocar gaita de foles.

Depois anunciou:

— VOU CHAMAR KRAKEN[2] DAS PROFUNDEZAS.

Fez-se um silêncio de espanto. Kraken! O monstro terrível e perigoso que estava sepultado desde o princípio dos tempos debaixo da superfície do mar, arrastando barcos para a tragédia através de ondas gigantescas, capazes de engolir uma cidade.

— Terence — murmurou Belladonna —, estou assustada. Tu não estás? Consegues imaginar Mabel Wrack sendo capaz de fazer *tal coisa?*

Na verdade, todos quantos assistiam estavam um pouco envergonhados. Nunca tinham levado a feiticeira muito a sério e agora...

Até Arriman o Horrível estava impressionado.

— Manda a Feiticeira Número Um prosseguir — disse ele.

Mabel Wrack avançou até à beira-mar. A feiticeira-peixe não era desleixada e tinha preparado o seu número com muita atenção. Ia começar por espalhar sobre o mar os anéis de ouro para que estes atraíssem os espíritos submarinos, conhecidos por gostarem muito de jóias, para a virem ajudar quando os chamassem. Quanto ao marinheiro afogado, a tarefa dele era atrair Kraken para fora da toca e assim ajudar os espíritos a encontrarem-no.

Pôs Doris no balde e atirou os anéis um por um para a espuma. Depois levantou os braços, e o esqueleto do cangalheiro que gostava de vadiar de barco ergueu-se lentamente no ar, deu um salto mortal e caiu sobre as ondas.

— Levitação — observou Arriman. — Interessante. Vamos dar-lhe pontos por isto, não acham? — A possibilidade de ver Kraken tinha-o animado bastante.

Em seguida, Mabel Wrack pegou no gongo e deu-lhe uma pancada tão forte que fez as aves marinhas fugirem com medo. Depois a Menina Wrack cantou:

— *Espíritos Poderosos das Profundezas*
Rogo-vos que acordeis do vosso sono
Vinde o mais rápido que vos for possível
Vinde ajudar vossa irmã, Mabel.

---

[2] Grande monstro marinho que se diz aparecer na costa da Noruega. (*NT*)

Mabel tinha decidido fazer poesia para o concurso. Podia ter sido um erro. Algumas feiticeiras têm jeito para a poesia, outras não. E a Menina Wrack não tinha.

— *Dos recifes terríveis e dos antros poderosos*
O temível Kraken deve aparecer.

— O que é um antro? — indagou a Maga Bloodwort, com mesquinhez.

— É uma espécie de caverna, acho eu — retorquiu Belladonna. — Uma gruta. — Apesar de saber que agora não tinha possibilidades de ganhar (quem poderá fazer algo mais terrível do que chamar Kraken) olhava para a Menina Wrack com olhos brilhantes. Não havia em Belladonna o mais leve vestígio de mesquinhez.

Seguiu-se uma pausa angustiante. Até Arriman se questionou se não teria sido apressado no seu juízo. Será que iria haver uma inundação? Remoinhos? Canibalismo? Há inúmeras histórias de feiticeiras que convocam forças do mal que depois não são capazes de controlar.

A pausa prolongou-se. O espírito, incapaz de aguentar a tensão, adormeceu. O vento rodopiava e o mar cinzento espumava e fumegava ao bater contra as rochas.

Mas algo se alterou. O céu parecia estar mais escuro. As cristas brancas das ondas desfizeram-se e deixaram em seu lugar uma película de água enrugada. O vento abrandou. Os pássaros calaram-se.

O que se seguiu era uma estranha elevação da superfície da água, que se transformou num monte que não parava de aumentar e se tornou numa enorme torre coberta de espuma. A torre empinou-se, dobrou-se e virou-se — um enorme túnel cheio de água agitada e a ferver — para a praia.

As feiticeiras aconchegaram-se umas às outras. A mão de Terence procurou a de Belladonna e, na mesa do júri, Arriman pegou na garrafa do génio e destapou-a.

Foi mesmo a tempo. A onda tinha aterrado na areia, com o som de um trovão. Quando a espuma e o turbilhão se desfizeram, os espectadores piscaram os olhos.

A Menina Wrack tinha chamado os Espíritos das Profundezas para a ajudarem a descobrir Kraken e estas seriam naturalmente as sereias. Mas as quatro mulheres que estavam na praia eram feitas de carne e já não eram novas. Seguravam inutilmente uma mala de mão preta, cada uma delas prendendo-a com um braço rechonchudo. Os anéis que a Menina Wrack tinha atirado ao mar, brilhavam-lhes nos dedos e as metades inferiores estavam pudicamente cobertas de urticulária entrelaçada. Todas elas tinham o peito nu e Arriman já tinha arregalado e fechado os olhos.

A Menina Wrack aproximou-se e a sua boca abriu-se com horror.

— Com mil demónios! — gritou de espanto.

Na realidade, era o mais terrível dos azares! Entre todas as sereias do oceano, tinha conseguido chamar as quatro irmãs solteiras da mãe: as tias Edna, Gwendolyn, Phoebe e Jane!

Momentaneamente Mabel ficou em pânico. Talvez não exista no mundo nada menos negro do que a tia de alguém. Depois recordou-se de que a metade superior do seu rosto estava coberta por uma máscara. Com sorte, não seria reconhecida. Quando a mãe optara pelas pernas, a família tinha-se dividido. Então, disfarçando a voz como podia, começou:

— *Chamadas aqui fostes,*
Rogo-vos, escutai,
Para trazer Kraken
Perscrutai todos os cantos do oceano.

Parou, tentando encontrar uma palavra que rimasse com oceano e também tentando perceber se o oceano teria *realmente* cantos. Mas não precisava ter-se preocupado, pois as quatro tias estavam a falar ao mesmo tempo, sem se ouvirem umas às outras.

— Querida, estamos tão contente por nos teres chamado! Estávamos muito *preocupadas!*

— Sem saber qual a melhor coisa a fazer, entendes?

— Quando o ferro se espetou na cabeça da mãe dele...

— O crânio destroçado; sem esperança, pobrezinha...

— É o *destino*, disse eu a Edna, não foi querida?

— *Alguém* sabe o que é melhor.

A tia que acabara de falar, interrompeu-se, aproximou-se e olhou atentamente Mabel Wrack.

— Estranho, era capaz de jurar que já te tinha visto antes. Essas narinas... essa boca...

Sem largarem a mala de mão, as sereias arrastaram-se até ela.

— Não pode ser, é claro. E não é que ela é a cara chapada da pobre Agatha!

— A cara chapada! — repetiu a tia Jane.

Mabel Wrack recuou, mas era tarde de mais.

— *Só pode ser* a filhinha da Agatha. A que ela teve com o peixeiro, depois da operação. *É ela*, tenho a certeza. Mabel. Não era assim que se chamava?

— Mabel! Querida Mabelzinha!

Muito excitadas, as tias deixaram finalmente cair a mala de mão e rodearam a sobrinha com um forte abanar de caudas e um agitar de braços rosados e rechonchudos.

— Parem com isso! — silvou Mabel, furiosa. — Isto é um concurso. *Afastem-se!* E falem em verso! Estão a estragar tudo!

Fez-se um silêncio expectante, enquanto Mabel continuava a olhar furiosa para as parentes. Isto era um disparate. As sereias são conhecidas por serem muito susceptíveis e, claro, também as tias das sereias.

— Muito bem — disse a tia Edna com altivez. — Sabemos quando não somos desejadas, não é?

— Foste tu quem *nos* chamou, não te esqueças.

— Que ares, só porque o pai tinha pernas e uma loja.

Enquanto falavam, as sereias arrastaram-se com arrogância, falando por cima do ombro.

— Éramos para ficar e dar-te alguns conselhos, mas agora não nos vamos incomodar.

— Não *nos* culpes, caso não saibas o que fazer.

— Falar em verso, era o que faltava!

Com um último olhar ofendido, as quatro sereias mergulharam na água e desapareceram.

— Parem! — gritou, em desespero, a Menina Wrack. — Voltem! Esqueceram-se da mala de mão!

O momento era terrível. As sereias tinham desaparecido, o poderoso Kraken continuava adormecido nas profundezas e o olhar de Arriman, o Horrível, era capaz de fazer gelar os ossos.

E agora esta mala...

Mas seria mesmo uma mala? Quando o observaram, o objecto pousado na areia parecia emitir uma certa vibração. Depois inchou e formou uma cúpula, como as costas de um girino ou de um pequeno disco voador. No meio desta cúpula surgiram duas fendas, das quais emergiram dois olhos brilhantes e cheios de lágrimas, cor do céu, a fitarem a Menina Wrack.

— Oh meu Deus! — exclamou Lester.

Agora a coisa estava numa espécie de luta consigo mesma. Do seu corpo negro e esponjoso apareceram, uma a uma, oito pernas vacilantes e trémulas, cada uma com um pé em forma de borrão. Olhando mais de perto, os espectadores podiam ver, na borda, um buraco redondo, de cujas orlas avermelhadas pendia o osso do pequeno dedo do cangalheiro. A tia Jane tinha-lho dado para o ajudar quando os dentes lhe começaram a aparecer.

Mesmo com aquela prova ali à frente dos olhos, ninguém queria acreditar. Observaram em silêncio, enquanto a «mala de mão» se erguia, ensaiou uns passos hesitantes e caiu como se fosse gelatina, aos pés da Menina Wrack.

— Mãezinha? — disse com voz suplicante. — Mãezinha?

A feiticeira recuou, agoniada. Terence agarrou-se com força a Belladonna, para a impedir de se aproximar. O espírito acordou de repente e disse: — Cospe! — Arriman, o Horrível, levantou-se do lugar.

— Que diabo de COISA é essa? — perguntou irritado.

Bem sabia a resposta. Podiam dizer-se muitas coisas de Arriman, mas não que ele era burro.

— Isto, Senhor — respondeu o ogre —, é o Kraken. Um Kraken bebé. Um Kraken bebé muito novo.

O barulho das vozes, o sentir-se indesejado pela feiticeira que o chamara... com os olhos cheios de lágrimas, Kraken começou a cambalear até à mesa onde estavam os juízes. Caiu três vezes, com as pernas trocadas e três vezes voltou a levantar-se, deixando no chão uma poça de água, até chegar junto da cadeira de Arriman, o Horrível, o Grande Mago do Norte.

— Paizinho? — suplicou o Kraken, rolando os olhos, ao olhar para cima. De novo: — Paizinho?

Todos estavam em suspenso.

Arriman olhou para baixo e encolheu os ombros.

75

— Leva-o daqui, Lester. Retira-o. Deita-o de novo para o mar.

O ogre não se mexeu.

— Ouviste o que eu disse, Lester. Está a pingar para os meus pés.

— Senhor — disse o ogre. — Este Kraken é um órfão. A mãe dele ficou com um ferro espetado na cabeça. Vão ser precisos dois mil anos antes que este Kraken possa engolir ao menos uma canoa. Se o atirares de novo ao mar, vai morrer.

— E então? — perguntou Arriman, com malícia.

Escondida entre os arbustos, Belladonna fechou os olhos e rezou. O Sr. Chatterjee tentara esgueirar-se para fora da garrafa, bateu com a cabeça na tampa e caiu para trás, com o turbante sobre a face escura e simpática.

— Paizinho? — perguntou o Kraken, com a voz num fio. E levantou do dorso, uma cauda pequenina e frágil.

— Oh, malditos sejam todos vocês — exclamou Arriman, e pegou no Kraken, que começou de imediato a rir e a contorcer-se pois tinha muitas cócegas. O Mago furioso deixou a mesa dos juízes e dirigiu-se para a casa, com passos largos.

9

A classificação de Mabel foi anunciada naquela noite. Tinha conseguido quatro dos dez pontos possíveis; uma nota baixa que seria ainda pior caso Arriman tivesse feito o que queria. Todavia, como o Sr. Chatterjee fez notar, ela tinha chamado Kraken das profundezas e não tinha culpa de as coisas terem acabado daquela maneira.

A nota baixa agradou a todas as outras feiticeiras e Ethel Feedbag, que era a candidata seguinte, foi vista a cambalear e a divertir-se ruidosamente no campo até muito depois da meia-noite. Não parava de soluçar por causa do vinho feito de pastinaca e acabou por adormecer com a cabeça em cima do porco e as galochas perigosamente próximas das brasas. Belladonna, claro está, não conseguia deixar de ter pena da pobre Mabel, que se refugiara no saco-cama muito irritada e com toalhas molhadas a envolverem-lhe as pernas, mas Terence não escondeu a sua satisfação.

— Vais ver, Belladonna, vais ganhar; tudo vai correr bem!

Tinha trazido Rover para baixo mais cedo e, apenas com o toque do corpo delgado e macio do auxiliar, Belladonna tinha sido capaz de transformar flores-da-paixão em globos oculares cheios de sangue e peras douradas em instrumentos de tortura para os dedos. Tinha deixado os coelhos porque, como disse a Terence, o importante era saber que os *conseguia* transformar em apêndices decadentes.

— Como está... sabes... Ele? — perguntou a feiticeira.

Terence respondeu que Arriman estava um pouco aborrecido. Podia ter dito mais, mas sabia que Belladonna estava apaixonada e que nada magoa mais do que saber que a pessoa que se ama não está bem. Na verdade, Arriman estava muito perturbado por causa do Kraken. Nada conseguia convencê-lo de que Arriman não era seu pai e o feiticeiro tivera de trocar de sapatos três vezes entre o lanche e o jantar porque aquela coisa insistia em sentar-se a seus pés. Os Krakens geram a sua própria humidade de dentro deles e são capazes de respirar tão bem no ar como na água, por isso não havia nada que impedisse o terrível Habitante das Profundezas de tentar trepar para o colo de Arriman ou de derramar lágrimas sobre as calças dele e o Grande Homem não estava a gostar daquilo.

— Por que é que o novo Mago não apareceu? — perguntou, enfurecido, ao jantar. — Eu teria sido poupado a tudo isto. Lester, leva-o daqui!

— É a si que ele quer, Senhor — retorquiu o ogre, em tom de censura. Mas pegou no Kraken e pô-lo numa terrina de sopa. Com Lorde Simon a lamentar-se no lambril, o Sr. Chatterjee a espirrar dentro da garrafa e o espírito a escorrer fígado cru da boca, achava que o amo já tinha que lhe chegasse.

Na manhã seguinte, levantaram-se cedo para observarem o que a Feiticeira Número Dois iria fazer.

Ethel escolhera fazer a sua magia numa concavidade muito bonita e cheia de erva, na qual, junto a um regato murmurante, cresciam um carvalho, um freixo e um espinheiro. Estas três árvores eram, desde o princípio dos tempos, árvores especiais. Mesmo separadamente são especiais, mas quando crescem juntas... bom, tudo pode acontecer num lugar como aquele.

— Feiticeira Número Dois, avance! — gritou o Sr. Leadbetter e Ethel, ainda com as três camisolas com que tinha dormido, por debaixo do vestido, surgiu detrás de uma rocha, empurrando o carrinho de mão e a chamar o porco grande e imundo.

— Dê-nos a sua lista! — ordenou o Sr. Leadbetter e Ethel caminhou até à mesa do júri, que Lester tinha colocado numa zona elevada do relvado, e pousou um pedaço de papel a desfazer-se à frente de Arriman.

O Mago leu-o e passou a mão pela testa, num gesto que evidenciava enfado. A Feiticeira Número Dois queria: *um homem, uma mulher e uma criança*.

— Mais confusão — murmurou ele. Em seguida, disse: — Tragam-me a lista telefónica.

Terence correu para casa e voltou com a lista telefónica da zona de Todcaster. Arriman fechou os olhos, folheou as páginas e espetou o dedo no sítio em que estavam os «B».

Não é difícil trabalhar uma lista telefónica, qualquer feiticeiro digno desse nome o consegue fazer. Basta carregar com força com o dedo sobre um número de telefone, dizer as palavras mágicas e, imediatamente, se consegue ver mentalmente a família que vive nessa morada. Depois disto, trazê-los através da levitação é brincadeira de crianças. Arriman ignorou o Coronel Bellingbotter que estava sentado na banheira, no número 5930 de Todcaster, passou por cima das irmãs Brisket, que estavam a fazer exercício físico no número 2378 e descobriu a família Bicknell no número 9549; era exactamente deles que estava à procura.

O Sr. e a Sr.ª Bicknell e a sua filha, Linda, estavam a tomar o pequeno-almoço, na pequena sala do número 187, Acacia Avenue. A Sr.ª Bicknell ainda tinha a cabeça cheia de rolos para o cabelo e Linda já estava pronta para a escola. Linda era gorda, mas a mãe era magra; Linda tinha oito anos de idade e a mãe trinta e cinco, mas o que ambas mais gostavam era de serem más para o pai de Linda, o Sr. Bicknell, e era isso que agora estavam a fazer.

— Por que vestiste essa camisa estúpida? — indagou a Sr.ª Bicknell. — Pareces uma avestruz.

— O teu cabelo está a ficar muito fino no cimo da cabeça, paizinho! Vais ficar careca! Se isso acontecer, vais ficar com cara de tonto — continuou Linda.

— O Sr. Pearce, que mora do outro lado da rua, comprou uma nova máquina de lavar. Sabes que já comprei a *minha* há três anos?

— O pai da Davina vai dar-lhe uma boneca que lava os dentes sozinha. Por que é que não *me compras* uma boneca dessas?

O Sr. Bicknell, um homem baixo e um pouco curvado, que tinha a cara magra, um ar cansado e a testa cheia de rugas, continuava calmamente a comer os seus flocos de cereais. Todos os dias trabalhava muito na sua mercearia, ajudando os clientes a esticarem o dinheiro e, à noite, quando regressava a casa, continuava a ajudar. Ajudava a mulher a lavar a loiça e arranjava prateleiras e cavava o jardim mas, fizesse o que fizesse, isso nada significava. A mulher e a filha passavam o tempo a meter-se com ele.

— Não limpaste bem o periquito — disse a Sr.ª Bicknell, enchendo a torrada com compota. — Tem restos de sementes presas no canto da gaiola.

— A Davina diz que ser merceeiro é uma *idiotice*. Só as pessoas *idiotas* são merceeiros, diz ela.

— Eu gostaria que, ao menso uma vez, tu...

Mas nessa altura a janela começou a bater com violência. Depois abriu-se de par em par e a sala ficou presa num remoinho que levantou o Sr. e a Sr.ª Bicknell e a filha Linda e os fez ir pelos ares... para fora da casa... para longe... aterraram, pouco depois, aos pés de Ethel Feedbag.

A feiticeira do campo olhou-os e acenou com a cabeça. Depois meteu a bota por debaixo da Sr.ª Bicknell, que guinchava e se retorcia, e de Linda, que não parava de dar pontapés, e virou-as de costas. Não foi necessário virar o Sr. Bicknell, pois ele já estava deitado em sossego, olhando para o céu.

— Anuncie a sua magia! — ordenou o Sr. Leadbetter ao megafone.

Ethel tirou a palha da boca, arrotou e disse:

— VOU METER A MULHER DENTRO DO FREIXO, O HOMEM DENTRO DO CARVALHO E A GAIATA NO ESPINHEIRO.

Um sussurro percorreu o público e todos passaram a olhar a Feiticeira Número Dois com novo respeito. Encarcerar seres humanos dentro de árvores é um feitiço muito antigo e tão negro quanto a noite. Os Druidas faziam-no e também as feiticeiras de Roma e da Grécia Antiga. Ainda hoje existem salgueiros sem folhagem e amieiros trémulos, cujos espíritos fugiram, para serem substituídos por um qualquer viajante vanglorioso ou pastor descuidado, que ali permaneceram encarcerados, num sono profundo, durante milhares de anos.

Só Belladonna, que se escondera das outras, se sentia triste.

— *Pobres* árvores! — murmurou ela.

Na realidade, as três árvores eram dignas de preocupação. O carvalho era uma daquelas árvores que encerram em si todo um mundo: o seu grande tronco, com as marcas das folhas caídas, estava cheio de gretas e buracos onde viviam esquilos, além de ratos e pequenos escaravelhos fugidios. Estava enraizado num lago coberto de musgo verde macio; dos ramos entrelaçados pendiam delicadas bolotas e a copa era uma massa de ouro outonal.

O freixo era também muito alto, mas esguio. A casca macia e cinzenta assemelhava-se a prata em contraste com o pálido céu azul. As sâmaras pendiam em cachos dos ramos erguidos para o alto. Uma árvore mais nova do que o carvalho, mas altiva e majestosa como uma rainha.

Finalmente, o espinheiro, uma árvore poderosa e muito sábia, com o seu tronco retorcido, as bagas em cacho, em torno das farpas pretas aguçadas.

Entretanto, Ethel Feedbag tinha ido ao carrinho de mão buscar um saco, que atirou para junto dos Bicknell. O saco tinha uma etiqueta onde se podia ler *Farinha de Beterraba Forrageira*, mas era melhor não querer saber o que estava realmente no pó com que polvilhou a pequena Linda, gritadeira e com cara de lesma, a sua mãe, que não parava de se contorcer, e o corpo cansado do merceeiro. Fosse o que fosse, fez com que em poucos segundos os três ficassem inconscientes, deitados sobre a relva.

Sorrindo de felicidade, Ethel levantou o manto, procurou por debaixo da saia e, do elástico das cuecas de lã castanhas tirou a enorme faca de punho preto usada pelas feiticeiras. Enquanto isso, Arriman suspirou e o rosto tornou-se branco como a cal. Tinha visto claramente as malditas galochas por debaixo do manto.

Por um momento parecia que o Grande Mago ia desatar a fugir dali para fora. Mas o ogre e o secretário já tinham cerrado fileiras atrás dele e, com um gemido, voltou a sentar-se no lugar.

Entretanto, Ethel, estava a untar a casaca do espinheiro com uma pasta pegajosa, cor de sangue. Depois, pegou na faca e fez um único corte ao longo do tronco.

— Terence, não consigo *suportar* isto! — sussurrou Belladonna.

— Não me parece que a árvore sinta qualquer dor, Belladonna. Acho que foi para isso que serviu aquele unguento. Para não a magoar.

Olharam fixamente, em suspenso, para o corte que, por iniciativa própria se tornava cada vez maior... maior e acabou finalmente por formar um imenso buraco que ia até ao coração da árvore.

— Nada mau — disse Arriman, esforçando-se por ser justo.

— Apesar de eu preferir os relâmpagos. São mais eficientes.

Ethel soltou um grunhido, deu uma pancada no porco e voltou para junto de Linda, com a faca na mão, por cima dela.

— Ela vai matá-la? — perguntou Terence, esperançado.

Mas Ethel estava a agachar-se sobre ela e murmurava um feitiço numa língua tão antiga e tão estranha, que ninguém conseguia perceber uma palavra. Entoou o feitiço vezes sem conta e então a rapariguinha gorda levantou-se, sem acordar. Estendeu os braços à sua frente e começou a andar, como se fosse um pudim encantado, em direcção à árvore.

— Lá para dentro! — ordenou Ethel, dando um ligeiro empurrão no traseiro de Linda.

E assim, Linda balançou o corpo na direcção do espigueiro. Os lados da árvore uniram-se um contra o outro, lentamente, até que a fenda se fechou por completo e Linda desapareceu.

Em seguida, Ethel foi até ao freixo. Voltou a esfregar a casca com o unguento, cortou uma fenda de um dos lados, que se abriu, mostrando o negro interior da árvore. Agora foi a Sr.ª Bicknell que se ergueu e se dirigiu em transe para a árvore. A fenda fechou-se e a senhora desapareceu.

Ethel preparava-se para recomeçar no carvalho quando se ouviu um ruído enraivecido, semelhante a algo a quebrar-se, vindo do espinheiro e se dirigia para o lugar onde Ethel estava. Seguiu-se um ruído ainda mais enfurecido. Que era aquilo? Eram os Espíritos do Espinheiro e do Freixo, que estavam de muito mau humor.

— Não é *de todo* conveniente para mim sair esta manhã — disse o Espírito do Freixo.

— Podias ter *pedido* — acrescentou o Espírito do Espinheiro.

Não é possível ver os espíritos das árvores — são apenas um movimento — mas sabe-se que se pudéssemos, seriam verdes, do sexo feminino e facilmente irritáveis.

— Não te pedi que trocasses — replicou Ethel. — Há espaço para todos.

— Ficar ali, com aquela criança repugnante? — retorquiu o espírito do Espinheiro. — Deves estar a brincar! Vou para casa da minha mãe! — E o ruído dirigiu-se a um velho espinheiro, que se encontrava na colina, seguido pelo Espírito do Carvalho, ainda a lamentar-se com indignação.

Ethel encolheu os ombros. Era necessário um pouco mais do que uns arrufos para incomodar uma Feedbag. Já tinha feito uma fenda no carvalho e chegou-se para trás, à medida que a fenda se abria, com gemidos e estalos e fazia os esquilos e os arganazes correrem dali para fora aterrorizadas.

Depois, Ethel foi buscar o Sr. Bicknell e também ele se levantou e caminhou até à árvore, que se fechou sobre ele, fazendo-o também desaparecer.

Os juízes, depois de se terem aproximado para verem mais de perto, estavam satisfeitos. Na verdade, o espigueiro tinha um pequeno inchaço na base por causa da gordura das coxas de Linda e a casca estava a formar pequenos altos e a cair, como se fossem bolhas. As folhas douradas do freixo também estavam a murchar rapidamente.

Ainda assim, nenhum transeunte poderia adivinhar que três seres humanos, frenéticos e torturados estavam aprisionados neste vale pacífico.

Mas ainda não se podiam atribuir notas. Uma verdadeira feiticeira deveria ser capaz de desfazer um feitiço da mesma maneira que foi capaz de o fazer.

— Desfaz o feitiço! — ordenou Arriman.

Ethel estava caída junto ao porco. Levantou-se e cambaleou até ao espigueiro. Voltou a abrir a fenda e, de novo, esta se abriu — e Linda Bickenell rebolou para fora como uma larva enrodilhada.

Em seguida, Ethel reabriu a fenda do freixo e a bela árvore pareceu suspirar de alívio enquanto a Sr.ª Bickenell, peganhenta por causa da seiva e com três rolos de cabelo a menos, caía na relva.

Com um ar afectado, Ethel dirigia-se agora para o carvalho. Mais uma vez, abriu-o, recuou e esperou.

Nada aconteceu.

— Sai! — ordenou Ethel, dando um safanão com a cabeça.

Ainda nada.

Por detrás da máscara, a cara redonda de Ethel estava vermelha de raiva.

— Sai! — exclamou ela, batendo com o pé.

Silêncio. Depois, das profundezas da grande árvore, uma voz calma disse:

— *Não!*

O rosto de Ethel ensombrou-se.

— Acabou — sibilou ela. — Vem cá para fora!

Mas dentro do carvalho, o fatigado merceeiro não se mexia. O que de lá saiu foi o espírito da árvore. Tal como os Espíritos do Espigueiro e do Freixo, o Espírito do Carvalho era apenas um movimento de folhas, mas um movimento mais velho e mais sábio.

— Deixa-o estar — disse ele a Ethel Feedbag. — Ele quer ficar. Gosta de lá estar. Diz que sai quando a mulher tiver noventa anos, andar numa cadeira de rodas e não o possa chatear e quando a filha tiver saído de casa para sempre.

— Ficar lá? — bramiu Ethel, furiosa como um touro.

— É verdade — continuou o Espírito. — Diz que nunca foi tão feliz na vida. Ele não me incomoda; a maior parte do tempo, só quer é dormir. A mulher ressona e atira-o para fora da cama, sabes, como algumas mulheres fazem. Eu não me incomodo com ele, faz-me companhia; e pode ver-se que *ele* não se importa.

Isto era verdade. Ao contrário do espigueiro, que ficara cheio de bolhas ou do freixo, cujas folhas murcharam, o carvalho grande mantinha-se calmo e imperturbável com o merceeiro nas suas entranhas.

— Volta a enfeitiçar-nos, querida — ordenou o espírito. — Isto está a ficar tão cheio de correntes de ar. Ele vai ficar cá dentro uns bons cinquenta anos; vou tentar que não ganhe bolor. Depois alguém o tira e o pobre diabo pode levar uma vida boa.

Então, Ethel voltou a fechar a árvore. Que mais poderia fazer? Mas quando Linda e a mãe foram reenviadas para a Avenida das Acácias e as notas de Ethel foram anunciadas, elas eram baixas; quatro em dez, as mesmas de Mabel. Que mais se poderia esperar? Não há nada de magia negra em fechar numa árvore alguém que adora lá estar.

Mas se Ethel estava furiosa, Arriman estava feliz como uma criança. Acontecesse o que acontecesse, não teria de casar com a feiticeira das galochas. Durante todo o jantar riu-se e fez brincadeiras — até que subiu para o quarto, ouviu o contínuo pingar da água e descobriu que o Kraken tinha subido para a sua cama.

10

Ninguém conseguiu esquecer o que aconteceu quando a feiticeira Número Três fez o seu número. Era realmente horrível, de uma maneira que ninguém poderia ter imaginado e até Arriman, acostumado que estava ao terror e às calamidades, nunca poderia ter pensado naquilo, nos anos que se seguiram, sem se sentir um pouco tonto e desfalecido.

A Feiticeira Número Três era Nancy Shouter e quando anunciou a sua magia, gerou-se um grande interesse por ela.

— VOU FAZER — anunciou ela — UM BURACO SEM FUNDO.

Fazer um buraco sem fundo não é fácil. Um buraco sem fundo não é um buraco que chega à Austrália; um buraco que chega à Austrália é um buraco que chega à Austrália — não é um buraco sem fundo. Não, sem fundo é algo diferente. Sem fundo é um nada misterioso, que continua sem fim; é uma escuridão interminável, um não-eco, uma ausência de «plop» quando alguma coisa cai dentro dele; um não tremeluzir de água nas suas profundezas. Não é só isso; um buraco sem fundo tem um poder demoníaco invulgar — se alguém se aproximar de mais, sente um desejo incontrolável de se atirar lá para dentro.

Todos estavam, portanto, satisfeitos e o Sr. Chatterjee, confuso devido à excitação, disse:

— Oh, Essa é boa! Um buraco sem fundo!

Nancy meteu mãos à obra. Tinha escolhido o Relvado Oeste, bastante próximo da casa, para fazer a sua magia e fez-se ao trabalho com um ar muito profissional. Apagou o cigarro, pousou as galinhas no capô do tractor que o Sr. Leadbetter tinha alugado e pôs o motor a trabalhar, de forma que as pás rotativas pudessem escavar o solo.

Era um dia agradável e quente. As outras feiticeiras estavam aglomeradas na pequena casa de Verão, onde podiam ver sem serem vistas por Arriman. Até Madame Olympia tinha aparecido com o seu porco-formigueiro. Na mesa dos juízes, que Lester tinha elevado em cima de blocos de madeira, para que estes pudessem ver melhor, Arriman tentava esquecer a noite horrível que tinha passado com Kraken e a ansiedade por causa do Vigilante Mágico (que enviou postais cheios de saudades de lugares como Brighton e South-end-on-Sea) e preparava-se para dar uma chance à Feiticeira Número Três.

Nancy sabia como fazer as coisas. Na verdade, a galinha estava contra ela. As galinhas Shouter sempre tinham sido um fracasso como auxiliares. Nunca cacarejavam duas vezes seguidas nem batiam as asas em ameaça nem levantavam o papo e, em geral, pareciam-se mais com velhotas reformadas e expulsas do aviário, do que com o tipo de pássaro que encontramos nos contos de fadas ou nas lutas.

Ainda assim, Nancy estava a fazer tudo certo. Com a experiência ganha a trabalharem no caminho-de-ferro, as gémeas Shouter eram boas com coisas mecânicas e, uma hora depois, Nancy conduziu o tractor para o outro lado do relvado e começou a sua tarefa.

Neste ponto, a coisa era simplesmente um buraco, é claro. Nancy tinha desenterrado uns canos velhos, parte de uma banheira de lata, um velho osso de presunto que pertencia ao Vigilante Mágico e montes de xisto e lama. Fez um buraco fundo, um buraco bom, um buraco do tipo daqueles em que os miúdos se empoleiram e ficam a olhar, a caminho da escola. Mas, apesar de o fundo estar muito longe, *continuava lá.*

Mas agora a magia ia começar. Primeiro, Nancy traçou um círculo à volta do buraco com a varinha mágica, desenhando o pentagrama das feiticeiras bem fundo, no chão em volta dele. Caminhou à volta do buraco, no sentido dos ponteiros do relógio e ao contrário, mantendo-se sempre longe do símbolo mágico. Depois, pousou a varinha, pegou na galinha e, erguendo-a no ar, virou-se para o norte.

— Espíritos da Terra, peço-vos, SUGAI O FUNDO DESTE BURACO! — salmodiou ela. Depois, continuando a segurar a galinha, virou-se para oeste: — Espíritos do fogo, peço-vos, QUEIMAI O FUNDO DESTE BURACO! — gritou Nancy Shouter. Em seguida, virou-se para este e suplicou aos Espíritos do Ar: — Soprai o fundo do buraco. — Mas a galinha já estava farta. Agitou-se, bateu as asas e voou dos braços de Nancy. E foi assim, sem galinha, que se virou para sul e ordenou aos Espíritos da Água: — Afogai o fundo do buraco.

No final, disse o Pai Nosso de trás para a frente e deu o feitiço por terminado.

É sempre difícil, o tempo que medeia entre o final de uma magia e a altura em que esta é suposta começar a funcionar. Ninguém sabe esperar, e as feiticeiras ainda menos. Nancy começava a bater com o pé, irritada, quando o grito começou.

Era um grito tal, que ninguém o poderia ter imaginado. Era como se mil gigantes estivessem a ser estripados com tenazes em fogo. A cada segundo, o grito tornava-se mais alto e mais insuportável ao ponto de os presentes pensarem que os crânios se iriam desfazer com a dor.

Como poderia ser de outra forma? Este era o grito de um buraco a perder a única coisa que possui — o fundo.

Quando o barulho finalmente se desvaneceu e a dor nos ouvidos desapareceu, os juízes foram até junto de Nancy. Tendo o cuidado de não se aproximarem demasiado por causa do temível poder que um buraco sem fundo tem, examinaram, discutiram e ponderaram.

Estavam satisfeitos. Arriman abanava a cabeça; o Sr. Chatterjee, com o seu turbante brilhante, sacudia a cabeça para cima e para baixo e o rosto branco e exausto do velho espírito tinha-se aberto em algo semelhante a um sorriso.

Apesar de ser verdade que não existe nada que se possa *fazer* com um buraco sem fundo, pelo menos, não pode transformar--se na tia de alguém como as sereias, nem pode tornar alguém feliz como o Sr. Bicknell ficara quando o fecharam dentro da árvore. Quando voltaram para a mesa, era claro que os juízes iriam dar a Nancy uma nota muito mais alta do que tinham dado a Ethel Feedbag ou a Mabel Wrack.

Mas antes de poderem fazer qualquer anúncio, ouviu-se uma escaramuça na casa de Verão e Belladonna gritou:

— Oh, por favor, não faças isso! — E então Nora Shouter, libertando-se das outras, catapultou-se para o Relvado Este, brandindo a sua galinha.

— És uma impostora! — gritou ela, dirigindo-se à irmã. — És mentirosa e vigarista. A galinha que aí tens é a *minha*! Fizeste a tua magia com *minha* galinha, portanto não vale.

— Eu *não* fiz a minha magia com a tua galinha! Fi-la com a *minha!*

— Não fizeste!

— Fiz!

Frente a frente, no Relvado Este, a fúria e o ódio das irmãs Shouter atingiu novos limites.

— De qualquer forma — gritou Nora —, não acredito que o teu buraco não tem fundo. É apenas um buraco!

— O meu buraco é um buraco sem fundo!

— Não é!

— É sim!

Arriman levantou-se do seu lugar, franzindo as diabólicas sobrancelhas, muito zangado e, na casa de Verão, Belladonna cobriu o rosto. Nada conseguia fazer parar as Shouter. Ambas tinham pousado as galinhas e estavam de pé, frente a frente, com ar de assassinas.

— Se disseres mais uma vez que o meu buraco tem fundo, vou acabar contigo, sua idiota, comedora de minhocas — gritou Nancy, esquecendo-se do concurso e de tudo o resto.

— Não é um buraco sem fundo! Não é um buraco sem fundo! Não é um buraco sem fundo! — repetiu Nora, aos gritos, corroída pelo ciúme e pela raiva.

O que se seguiu, aconteceu com uma velocidade estonteante.

Nancy empurrou a irmã, fazendo-a cair para trás, com as pernas no ar. Depois, quando Nora tentou levantar-se, Nancy empurrou-a e ela caiu, desta vez, dentro do pentagrama mágico.

Ainda assim, Nancy podia ter salvo a irmã gémea. Mas ficou ali, imóvel, com a face espelhando um triunfo maléfico, enquanto Nora se tentou levantar, vacilou e cambaleou, *por sua própria iniciativa*, em direcção ao precipício redondo e escuro...

Mesmo à borda, conseguiu parar e tentou desesperadamente dar um paço atrás. Demasiado tarde! Ouviu-se um ruído de sucção horrendo, o braço de Nora ergueu-se...

E depois o buraco engoliu-a e ela desapareceu.

Nessa noite, o acampamento estava silencioso como um cemitério. Arriman, pálido com o choque, desqualificou a Feiticeira Número Três e ordenou que o Relvado Este fosse evacuado. Contudo, Nancy mal parecia ter ouvido as palavras dele. Ficou ali e, por fim, foi Belladonna quem a levou e a deitou na tenda que partilhara com Nora.

— Agora já não importa de quem é qual galinha, pois não? — foi tudo o que Nancy disse enquanto Belladonna tentava meter os pássaros castanhos nas suas gaiolas.

E Belladonna, que sabia perfeitamente bem que galinha pertencia a quem — sempre tinha sabido —, concordou que agora aquilo não importava. Não importava mesmo.

O horror de tudo o que acontecera pôs todos em estado de choque durante o dia que se seguiu, que era aquele em que Nora deveria ter feito a sua magia. O Sr. Chatterjee permaneceu enroscado na sua garrafa, como um bebé que não quer nascer. Arriman nem sequer reparou quando Kraken gotejou para dentro das suas melhores botas com elástico. No acampamento, as feiticeiras pararam de se meter umas com as outras, envergonhadas com a tragédia que as tinha atingido.

Mas a coisa mais estranha foi a que aconteceu a Nancy.

Da noite para o dia, deixara de ser uma feiticeira fala-barato, mandona e fumadora e tinha-se transformado numa pessoa tímida, retraída, que nada mais queria senão ficar na cama, em pijama, recusando-se a lavar-se, vestir-se ou sequer comer e dizendo a quem quer que se aproximasse que não importava que galinha pertencia a quem.

— Ela vai dar em doida, podem escrever o que eu digo — disse a Maga Bloodwort. — Já vi isto antes. Passou-se.

Terence não percebia.

— Ela não odiava Nora *assim tanto*, Belladonna? Por que é que ficou tão perturbada?

Belladonna enrugou a testa, tentando perceber o porquê.

— Suponho… que detestar Nora era uma espécie de *papel* para Nancy. Quer dizer, era o *significado* da vida dela. E agora que Nora se foi, não é ninguém. É apenas uma alma penada.

No entanto, por mais que todos estivessem preocupados com Nancy, o concurso tinha de continuar. Assim, no final daquela tarde, Terence e Belladonna dirigiram-se ao bosque, por trás do acampamento, e praticaram com Rover, transformando a folhagem dourada do feto-dos-ventos em dedos leprosos e invocando pequenos dragões de um silvado. Tinham descoberto que o poder de Rover era tão forte que funcionava mesmo *dentro* da caixa de fósforos e mesmo que Terence a tivesse fechada. Isto era uma grande ajuda, pois, com a caixa aberta, Rover tentava sempre sair dela.

— É estranho, pareceu-me sentir alguém mexer-se ali, atrás daqueles ulmeiros — disse Belladonna, quando se sentaram numa clareira relvada e deixaram Rover caminhar confiante pelas suas mãos.

Espreitaram por entre as árvores, mas não havia ninguém. Ainda assim, ambos tinham a estranha impressão de estarem a ser observados e por alguém muito mais sinistro que a Ethel ou Mabel Wrack.

— Talvez fosse melhor guardá-lo — sugeriu Terence, metendo Rover na caixa. Tinham escondido este poder secreto das outras feiticeiras e assim queriam continuar.

Quem os poderia culpar por não conseguirem vislumbrar a astuta fada afastando-se da clareira a passos largos? Ela tinha assumido uma forma muito usada pelas feiticeiras: a de uma lebre ligeira e silenciosa. Mas nenhuma lebre verdadeira tinha o olhar desta: um olhar malicioso, calculista e incrivelmente cruel.

11

No dia seguinte, chegou a vez da Maga Bloodwort. Tinha passado a noite anterior numa derradeira tentativa de fazer o feitiço para voltar a ficar jovem. Corria da tenda para a casa de banho, e vice-versa, com frascos de vesícula esmagada retirada a assassinos, mandrágora colhida antes do amanhecer, numa noite de luar, e um conjunto de outras coisas esquisitas, com que se untava, enquanto entoava rimas estranhas.

Mas aquilo não tinha ajudado. Quando foi anunciada pelo Sr. Leadbetter, e se dirigiu ao Jardim Italiano, era inconfundivelmente a Maga Bloodwort, com as suas verrugas, bigodes, Nuvem de Moscas e tudo.

Arriman, é claro, reconheceu-a de imediato. Mas para grande espanto do senhor Leadbetter e do ogre, não tentou fugir. A razão era simples. Tinha decidido que, se a feiticeira com bigodes ganhasse o concurso, ele, Arriman, o Horrível, matar-se-ia. Talvez o fizesse de forma dramática. Podia atirar-se de um rochedo para as águas em ebulição do Cadeirão do Diabo ou podia atirar contra si com duas pistolas prateadas, usadas em duelos, ou ainda cair sobre uma das espadas que Lester estava sempre a engolir, mas era certo que o faria.

Estava bastante calmo, quando a Feiticeira Número Cinco mancou até junto dele e lhe entregou a lista e assim permaneceu enquanto a lia.

Era a Maga Bloodwort quem queria as sete princesas. Ia fazer uma magia antiquada, mas muito popular: aquela em que sete bonitas donzelas de Sangue Real se transformam em sete cisnes pretos, condenadas a vogar pelas águas de todo o mundo por toda a eternidade.

Talvez não exista nada mais triste ou mais romântico em toda a magia do que este feitiço. Num momento, temos sete belas raparigas, de olhos brilhantes, com a vida toda à sua frente, e muitas vezes um ou outro príncipe em perspectiva e logo vem o minuto seguinte, um momento horrível, em que os seus cabelos loiros se transformam numa penugem preta, as bocas parecidas com botões de rosa se tornam bicos e os seus bonitos pés se transformam em dedos com membranas... até que os grandes pássaros trágicos voam em direcção ao pôr do Sol e nunca mais regressam.

Como cenário para fazer esta magia, a Maga Bloodwort escolheu o Jardim Italiano, que ficava junto ao lago.

Há muito tempo que Arriman não andava por ali a fazer das suas e, portanto, o lugar era muito bonito, com urnas, estátuas e caminhos de gravilha, que se estendiam até à superfície cintilante da água.

Mas o Grande Mago acabara de ler a lista. — Sete princesas! — bradou ele. — Sete! Deve estar maluca!

No entanto, a Maga Bloodwort não desistia facilmente.

— Exacto. Sete. Verdadeiras princesas. Com sangue real.

— Eu não posso simplesmente fazer as princesas rodopiarem pelo ar como o comum dos mortais, sabe muito bem — replicou Arriman. — A coisa tem de ser feita como deve ser. Com transporte adequado e tudo. E além disso, as princesas não constam da lista telefónica.

Mas a Maga Bloodwort, feiticeira velha e obstinada que era, não se demoveu e ficou ali, de pé, à espera.

Arriman suspirou. — Diz a todos que saiam durante uma hora, Leadbetter — ordenou ele. — Vou ter de ir ao meu laboratório tratar disto. E manda-me esse teu sobrinho. É um miúdo útil e bem preciso de mais um par de braços.

Então, o Sr. Leadbetter levou as feiticeiras de volta ao acampamento e Terence, brilhando de orgulho, seguiu Arriman e o ogre até ao laboratório, onde havia cadinhos a borbulhar e frascos diabólicos.

— Na realidade, há *uma espécie* de lista telefónica só para princesas — observou o feiticeiro. — Chama-se *Almanaque de Gotha*. Vai depressa buscá-lo à biblioteca, rapaz. É um livro grande, encadernado a ouro, e está na segunda estante, logo a seguir à entrada.

— Terence regressou muito rápido, com os olhos brilhando de emoção. — Bom — disse Arriman. — Vejamos. Há uma família espanhola, descendente de Carlos, *o Cruel*, acho eu. Sim... bom, parece que há uma filha. E devíamos encontrar alguém na Alemanha. Que tal os Hohenstifterbluts? Pertencem a uma boa linhagem.

— Não podemos arranjar uma princesa *britânica?* — inquiriu Lester.

Arriman abanou a cabeça.

— Não me parece sensato. — Continuou a folhear as páginas. — Vamos ter de rapar um pouco o fundo ao tacho. Mas vamos lá.

Durante quase uma hora, Arriman fez magias: murmurou feitiços, deu voltas com a varinha mágica, andou de trás para a frente, por entre as poções e os livros forrados a veludo. Uma vez disse: — É estranho, sinto uma força invulgar nesta sala. As coisas estão a acontecer mais rápido do que é costume. — Apesar de ter trocado um olhar com Lester, Terence não disse nada. Tinha Rover no bolso, mas se queriam que Belladonna ganhasse o concurso, o poder da minhoca tinha de ser mantido em *segredo.* — Pronto! — exclamou o mágico. — Agora já podes ir buscá-las. A última acabou de chegar.

Na verdade, ali estavam sete princesas, harmoniosamente dispostas junto à orla de uma fonte. Arriman manteve a sua palavra e todas elas tinham sangue real, mas isso era tudo o que tinha conseguido. Não valia a pena fingir que formavam um conjunto homogéneo. A Princesa Olga Zerchinsky, por exemplo, sobrinha de um dos últimos Grão-Duques da Rússia, tinha 92 anos e sofria de reumatismo, de tal forma que Arriman teve de a fazer aparecer numa cadeira de rodas. Por outro lado, a pequena Princesa Negra Africana, descendente do próprio Rei Salomão, estava a dormir no seu berço de ébano gravado. A Princesa Espanhola, apesar de estar lindamente vestida com uma mantilha de renda e um vestido decotado, tinha, infelizmente, uma perna de pau, e a Princesa Índia era quase invisível por detrás da nuvem de fumo do seu cachimbo da paz. Havia uma jovem princesa da América, que usava *jeans* da *Levis* e uma camisola com a inscrição: *SOU AMIGA DO BATMAN* (os antepassados tinham fugido da França quando Louis Phillipe perdeu o trono) e havia uma Austríaca de meia-idade, cujo nariz lhe chegava ao queixo porque era dos Habsburgo, famosos na História por terem sido os governantes mais feios do mundo. E havia ainda uma Princesa Oriental, com calças de seda, que tinha feito o Sr. Chatterjee esgueirar-se para fora da garrafa, muito entusiasmado.

Entretanto, a Maga Bloodwort anunciava o seu feitiço.

— VOU TRANSFORMAR SETE PRINCESAS DE SANGUE AZUL EM SETE CISNES PRETOS — declarou ela. Depois, sentindo talvez que faltava qualquer coisa, acrescentou: — Hi, hi, hi. — Isto era o mais parecido com uma gargalhada demoníaca que ela conseguia fazer.

Em seguida, desapareceu por detrás de uma estátua do deus Pã e regressou com uma vassoura. Era a vassoura mais miserável e mais desgastada que alguém já tinha visto — tinha sido feita pela própria Maga Bloodwort a partir de gravetos encontrados nas traseiras do acampamento. Todos ficaram satisfeitos, porque aquilo significava que ela ia fazer um dos feitiços favoritos. Aquele em que se anda em torno das vítimas, cada vez mais rápido, entontecendo-as com a velocidade e os encantamentos, até a transformação ser completa. É um feitiço fora de moda, mas que pode ser muito forte.

A Maga Bloodwort foi até à fonte, soprou para abrir um buraco na Nuvem de Moscas e observou as princesas. Depois pousou a mão enrugada na Princesa Espanhola, por cima da mantilha de renda e do vestido azul-turquesa.

— Tu! — exclamou, puxando-a para a frente, para o caminho de gravilha.

Arriman tinha hipnotizado as princesas à medida que chegavam. Assim, a Princesa Juanita, com os seus olhos pretos, seguiu obedientemente a velha feiticeira, batendo com a perna de pau à medida que se movimentava.

A Maga montou a vassoura e soltou um gemido ao erguer as pernas velhas e rígidas, por cima do cabo, que tinha untado com gordura do corpo de doninha fedorenta e começou a andar à volta da Real Senhora Espanhola.

— *Voa para longe, mágico vassourão*
Leva esta princesa para a sua perdição! — gritava a Maga.

Rodopiava cada vez mais depressa, fazendo o carapuço cair para trás e mostrar o cabelo branco, enquanto a Nuvem de Moscas se lhe agarrava desesperadamente à cara corada e ao peito arquejante.

Tinha um ar tão enlouquecido, tão exausto e tão velho, que ninguém esperava realmente que o feitiço funcionasse. Mas estavam errados. Estavam a acontecer coisas estranhas e terríveis à Princesa Juanita.

A mantilha esvoaçara e... desaparecera... A cabeça cintilava e estava agora coberta de penas, e a boca estava a modificar-se... sim, a transformar-se num bico!

— Ela conseguiu, Terence! A Maga Bloodwort conseguiu! — exclamou Belladonna alegremente.

Mais uma vez, a Maga circundou a pobre princesa. Depois, desmontou-se e chegou-se para trás.

— Bolas! — exclamou a Maga.

Apesar de ser verdade que transformara completamente a princesa num pássaro, esse pássaro não era um cisne. Era um pato. Além disso, devido aos problemas que a princesa tinha com a perna, era um pato *coxo*.

Todos observaram com tristeza o pássaro encantado, enquanto este se balanceava em direcção à água. É difícil explicar a diferença entre um pato e um cisne. Ela existe, simplesmente. Este parecia pertencer à raça Khaki Campbell, nada parecido com o tipo de pessoa por quem um príncipe se poderia apaixonar, reconhecendo-a pela alma aprisionada que era.

Mas a Maga Bloodwort não desistia. Deixou o pato a observar um molho de junco, voltou a pegar na vassoura, foi até à fonte e conduziu a Princesa Oriental, bela como uma orquídea, nas suas calças brilhantes e túnica dourada.

— Aiiii! — suspirou o Sr. Chatterjee. Nunca se tinha casado por não ter a certeza de que a mulher conseguiria viver numa garrafa e a Princesa Shari era tudo o que sempre desejara.

A princesa seguiu a feiticeira docilmente. A Maga voltou a montar a vassoura e andou às voltas em torno da princesa, recitando o feitiço.

— Desta vez vai funcionar — sussurrou Belladonna a Terence. — Olha, as penas são pretas! Vai dar um lindo cisne, vais ver.

Viram, ansiosos, a Maga abrandar e desmontar.

— Vejo que não vou ser poupado a nada — murmurou Arriman, o Horrível, enquanto a seu lado o Sr. Chatterjee uivava de dor.

Pois o pássaro que agora se encaminhava para o lago como um vereador sobrealimentado era um pinguim gordo, lustroso e com ar de tolo.

Por breves momentos, a Maga ficou muito aborrecida. Mas logo se recompôs e, cuspindo umas quantas moscas mortas, voltou a untar a vassoura e foi buscar a Princesa Alemã, com a sua trança cor de linho e o traje típico.

Mas a princesa Waltraut Hohenstifterbluts, não parecia estar tão hipnotizada quanto as outras.

— Issto éee muuitoo desaagradáávl — sibilou ela. Estamos a seer traansforrmadaas no boobo da feesta. Ou me trraansforrmas num ciisne, ou escrrevo aos jorrnais.

Mas não era isso que estava destinado. E, de todas as coisas terríveis que tiveram que observar, uma das piores era ver uma tetraneta de Átila, o *Huno*, a cantar num ramo, naquele tom idiota que os periquitos têm, mesmo na Alemanha:

— Porr favorr, um biscoito. Dê um biscoito ao Walti, porr favorr.

Belladonna sabia o que ia acontecer em seguida. A Maga Bloodwort deixou cair a vassoura, os ombros descaíram e a Nuvem de Moscas ficou em silêncio.

— Não! — gritou Belladonna. — Oh, por favor, Maga Bloodwort, não faça isso!

Era demasiado tarde. O periquito, surpreendido, tinha saltado para a coisa em cima da qual estava agora, quatro quadrados, no caminho junto ao lago.

O espectro acordou e exclamou:

— Vómito! — O Sr. Chatterjee abanou com tristeza o turbante que lhe envolvia a cabeça. E Arriman, o Horrível, ergueu-se do lugar.

— Ninguém — explicou ele — me pode acusar de não fazer a minha parte de feitiçaria e magia negra. Mas há uma coisa que nunca farei: *casar com uma mesa de café!*

E o Grande Mago, ultrajado, afastou-se dali, concertando o manto junto ao corpo.

12

Na noite antes de Madame Olympia fazer a sua magia, Terence teve um sonho. Não era realmente um sonho, era um pesadelo. Um pesadelo horrível, no qual ele voltava ao lar de Sunnydene, com toda a miséria e crueldade que tão bem conhecia.

Neste sonho, Terence andava à procura de alguma coisa. Algo muito importante. Mas não sabia o que era. Cada vez mais fora de si, percorria os quartos frios e sombrios, abria portas, tirava as tampas aos pratos de servir, puxava os cobertores cinzentos das camas de ferro. Não parava de procurar e ouvir o som de risadas — risadas escarninhas. Incapaz de o suportar, Terence correu para o jardim.

— Vou encontrá-lo — dizia ele. — Vou descobri-lo ali.

Dobrou-se até ao chão e pressionou as mãos contra a gravilha, mas a risada tornava-se cada vez mais sonora e mais malévola e, então, repentinamente, no fim do caminho, apareceu a malvada figura da Directora, com os seus lábios escarninhos e olhos tristes. A Directora estava mais alta e continuava a desembaraçar-se das raízes que a prendiam — raízes que eram agora feitas de dentes *humanos*, enrugados e cheios de sangue.

— *Tenho de* o encontrar — soluçou o rapazinho.

— Nunca o vais encontrar! Nunca! — gritou a Directora. E quando o sapato dela, pontiagudo e afiado como uma serra, se levantou e ameaçou cortá-lo ao meio, Terence acordou.

A princípio, sentiu-se muito aliviado por perceber que estava no seu quarto em Darkington Hall, tinha vestida a parte de cima do pijama do Sr. Leadbetter e estava a milhas da Directora. Mas este sonho não parecia fácil de esquecer.

De que estaria ele à procura com tal desespero? Que dissera a Directora ser impossível de encontrar? E, de repente, já bem acordado, Terence sabia o que desconhecia enquanto estava a dormir.

Rover. Era Rover quem ele procurava.

Mas aquilo não fazia sentido. Rover estava guardado em segurança na caixa. Terence tinha-lhe desejado as boas-noites ainda não há uma hora e ele estava muito bem, rastejando contra as paredes da caixa como uma anaconda.

Todavia, era melhor ficar completamente descansado. Saltou da cama, acendeu a luz e foi verificar a caixa de Rover, que estava onde sempre ficava, debaixo da janela.

Levantou a tampa.

— Rover... — chamou.

A minhoca estava debaixo da terra; era costume. Terence remexeu os torrões húmidos da terra com as mãos e começou a procurar o amigo.

Tinha as mãos muito enterradas. E, gradualmente, à medida que ia procurando, o movimento de Terence tornou-se mais rápido e a respiração parecia ficar-lhe encravada na garganta.

Não entrou em pânico. Foi buscar um jornal à despensa, espalhou as folhas no chão e esvaziou a caixa de Rover.

Na fina camada de terra, espalhada sobre o jornal, a verdade já não podia ser negada.

Rover desaparecera.

Uma hora mais tarde, o ogre, o secretário e Terence estavam reunidos no quarto do Sr. Leadbetter, a tentarem desesperadamente decidir o que fazer. O ogre tinha empurrado a pala para a parte de trás da cabeça. O Sr. Leadbetter andava para cá e para lá e Terence, ainda de pijama, estava aninhado na cama, como se fosse um passarinho no ninho.

— Suponho que não é possível usar outra minhoca no concurso? — inquiriu o Sr. Leadbetter, parando por momentos.

Terence abanou a cabeça.

— Belladonna disse que já tinha tentado fazer magia negra com outras minhocas, quando eu ainda estava no lar, e não tinha funcionado. Não é uma minhoca *qualquer* que a torna negra, é Rover.

— E se arranjássemos outra minhoca e lhe *disséssemos* que era Rover — começou o Sr. Leadbetter, mas acabou por se interromper porque percebeu que estava a ser tolo. Belladonna era capaz de distinguir uma determinada joaninha de entre outras, chamar uma dúzia de andorinhas pelo nome. Era idiotice pensar que todos os chineses eram parecidos uns com os outros, tal como era imaginar que ela não iria distinguir Rover de entre todas as minhocas do mundo.

— Ainda só é sexta-feira — disse Terence numa vozinha trémula. Para ele, Rover não era apenas um auxiliar poderoso; Terence tinha perdido um amigo muito querido. — Amanhã é a vez da Madame Olympia e domingo não há concurso, não é assim? Portanto, não vos parece que, na segunda-feira à noite, quando Belladonna fizer o feitiço, Rover talvez já tenha — engoliu em seco e tentou acalmar-se — já tenha sido encontrado?

O ogre e o Sr. Leadbetter trocaram olhares significativos. Terence acreditava que Rover estava simplesmente perdido, e achavam ser melhor ele continuar a pensar assim. Tinham as suas próprias suspeitas, mas o rapaz já tinha com que se preocupar.

— Eu não alimentava demasiadas esperanças, filho — aconselhou Lester, pousando a sua enorme mão no ombro de Terence.

— Acho que temos de perder as esperanças de Belladonna ganhar o concurso — acrescentou o secretário, desanimado.

— *Não!* — Terence saltara da cama e a voz dele estava forte outra vez. — Não! Não devemos desistir. Olhem, Belladonna tem de ganhar este concurso, não tem? Quero dizer, assim que Arriman a vir, vai querer casar com ela e por essa altura talvez Rover já tenha aparecido. Portanto, não podíamos *fingir* o feitiço dela? *Fingir* que conseguiu trazer à vida Lorde Simon?

— Arranjar alguém que personifique o fantasma, é isso?

— Isso mesmo — disse Terence ansioso. — Podíamos arranjar fumos e luzes e coisas do género, como uma pantomima. E depois este espectro poderia aparecer, de repente, *vivo!*

O Sr. Leadbetter parecia chocado.

— Mas isso seria fazer batota, não?

Terence virou-se para ele, surpreso.

— Bom, fazer batota é uma coisa negra, não é? E é isso que Arriman quer.

O Sr. Leadbetter viu a lógica de tudo aquilo.

— Mas quem poderíamos arranjar para fazer o papel de Lorde Simon?

— Tem de ser um profissional — sugeriu Lester. — Um actor. Eu conheci alguns quando estive na feira, mas agora já não conheço ninguém.

— Esperem um minuto — pediu o Sr. Leadbetter. Agora que já estava acostumado com a ideia de fazer batota, a cabeça dele recomeçara a funcionar. — Conhecem a minha irmã Amélia? Aquela que é mãe de Terence e não quis casar com o monitor da piscina?

Os outros assentiram com a cabeça.

— Bem, ela dirige uma pensão para teatreiros em Todcaster. Sabe, os actores e pessoas ligadas ao palco em geral. Talvez nos possa arranjar alguém para personificar lorde Simon?

— Vamos ter de ser rápidos — disse Lester. — Só temos dois dias e um deles é domingo. E não estou a ver como posso deixar o velhote com Madame Olympia, por causa do feitiço que ela vai fazer amanhã.

— E eu também não posso — retorquiu o Sr. Leadbetter. — Ela pediu coisas muito complicadas. Luzes estroboscópicas, amplificadores e sabe lá que mais. Valha-me Deus!

— *Eu* posso ir — sugeriu Terence.

Fez-se uma pausa. Terence tinha muito melhor aspecto desde que veio para Darkington, mas ainda era o rapazinho mais pequeno e mais magrinho que se possa imaginar. E Todcaster ficava a trinta milhas de distância, o que significava apanhar um comboio e depois um autocarro para a cidade.

— Amélia pode tomar conta de ti — acrescentou lentamente o Sr. Leadbetter. — Mas... — a voz dele desfaleceu. Era demasiado educado para dizer que não achava que um actor ou qualquer outra pessoa desse grande importância a Terence.

— Esperem um pouco — replicou o ogre. — Tenho uma ideia. O velhote tem andado a fazer notas: de cinco, de dez, de todos os tipos. Já está cansado de andar com sacos de ouro às costas. Eu vou dar uma olhada.

Regressou alguns minutos depois com uma carteira a abarrotar de notas.

— Se levares isto, tudo correrá bem — disse Lester. — Ninguém vai ligar ao teu tamanho quando vir isto. E lembra-te, nem uma palavra a Belladonna! Ela tem de acreditar que está realmente a trazer Lorde Simon à vida e que é Rover que está dentro da caixa. Por muito que esteja interessada em Arriman, nunca seria capaz de o aldrabar, isso é mais do que certo!

E, finalmente, foram deitar-se, esperando que a madrugada chegasse.

Mas havia ainda uma luz acesa em Darkington. Uma única lâmpada, na janela da caravana de Madame Olympia, onde a fada estava, sentada, exultando com algo que tinha nos dedos ávidos. Algo húmido e delicado que, gananciosa como era, valorizava mais do que qualquer jóia.

Sempre tinha tido a certeza de que ganharia o concurso. Mas agora... *Ninguém* a poderia derrotar!

13

Na manhã da prova de Madame Olympia, Belladonna acordou inquieta e preocupada. As órbitas no saco-cama tinham-se tornado rosadas e cheirosas durante a noite e isso dava-lhe a sensação desagradável de que elas se poderiam transformar nas begónias que tanto a incomodavam. Depois havia a Maga Bloodwort, tão incomodada pelos periquitos que nem toda a insistência de Belladonna a fazia lembrar-se de como fazer para inverter o feitiço e deixar de ser uma mesa de café. Belladonna teve de a arrastar para a sua tenda e esperar que o feitiço se esfumasse a tempo. Sendo como era, estava preocupada com as moscas. Elas estavam bem dentro da mesa; que estariam a *pensar?*

Como de costume, preparou o pequeno-almoço para as outras e levou uma chávena de chá a Nancy Shouter (que continuava na cama de campanha em cuecas e camisola interior a dizer que não importava de quem era qual galinha) e depois foi com Mabel Wrack e Ethel Feedbag até à casa.

Quando chegou junto dos degraus que davam para o Terraço Sul, encontrou o Sr. Leadbetter e o ogre, que lhe contaram que Terence tinha ido a Todcaster fazer uns recados a Arriman.

— Que pena! — exclamou Belladonna. — Vai perder a prova de Madame Olympia e ele *gosta* tanto de magia.

Sentindo-se muito triste com a ideia de passar o dia sem o rapazinho, foi procurar as outras feiticeiras e arranjou um esconderijo para observar.

Madame Olympia tinha decidido fazer a sua magia nas caves de Darkington Hall. Era um lugar frio e escuro, com passagens labirínticas cheias de ecos a abrirem-se numa grande cave, onde em tempos passados os prisioneiros foram torturados até à morte ou mortos à fome. A luz do dia nunca chegava a este labirinto subterrâneo e Arriman estremeceu e puxou a gola até as orelhas, enquanto se encaminhava para a mesa dos juízes. Debaixo do braço levava a garrafa do génio, para a proteger do frio.

Quando a Feiticeira Número Seis entrou na cave, o humor dele alterou-se. Ali estava, finalmente, uma feiticeira para ser levada a sério.

Num minuto estavam sentados numa cave escura e sombria — no minuto seguinte, a cave estava em chamas, com holofotes que passavam de amarelo sulfúreo a verde lívido e carmim forte e lançavam na parede sombras trémulas e estranhas. Em seguida, a abóbada encheu-se com o som estridente da canção «As Entranhas Lamentosas», amplificado ao máximo, ferindo os tímpanos dos ouvintes com uma canção que falava de ganância, malvadez e ódio.

Tendo assim preparado o palco, a fada encaminhou-se para a mesa dos juízes e fez uma vénia. Tinha posto o capuz e o manto como Arriman queria, mas não se parecia em nada com a Maga Bloodwort, Ethel Feedbag ou Mabel Wrack. No segredo da sua caravana, a fada tinha costurado no manto mil lantejoulas cor de azeviche, que agora tremeluziam e resplandeciam com a luz dos focos, tal como acontecia com os diamantes da coleira e da trela do sinistro auxiliar dela. A Feiticeira Número Seis era alta e com porte de rainha e tinha atado o colar com noventa e três molares, cinquenta e sete incisivos e sete dentes do siso em forma de coluna de marfim à volta da garganta.

— A SINFONIA DOS MORTOS EXECUTADA POR MIL MÚSICOS — anunciou Madame Olympia.

Arriman acenou com a cabeça. Não compreendia uma palavra, mas soava-lhe bem e a voz calma e rouca da fada fazia-lhe subir pela espinha um agradável arrepio.

Madame Olympia caminhou até ao centro da cave. Depois fechou os olhos e ergueu, não a varinha de condão, mas um chicote. Um chicote diferente de todos os outros. Roubado de uma sepultura egípcia amaldiçoada. As correias do chicote eram feitas de peles de escravos entrançadas; o cabo de lápis-lazúli foi encastrado por um velho feiticeiro tão poderoso que só saber o nome dele já consistia uma ameaça de morte.

Três vezes atravessou Madame Olympia o chicote por cima das costas do porco-formigueiro, carregando-o com o poder demoníaco da besta maldita. Depois, fez estalar o chicote e toda a gente susteve a respiração.

No minuto anterior, a cave estava vazia. Agora, de cada esconderijo, das paredes, do tecto, do chão, do próprio ar, apareceram a rebolar e a guinchar cem, duzentos, quinhentos — mil enormes ratos cinzentos.

Não eram ratos comuns. Ratos inchados, com olhos pútridos e caudas escabrosas e com moscas inchadas pendendo do pêlo embaraçado. Ratos com a morte nos olhos — vis, enlouquecidos, *ratos transmissores* de pragas!

Belladonna, que estava escondida atrás de um pilar, suspirou de terror, virou-se para pegar na mão de Terence e lembrou-se de que ele não estava ali. O ogre exclamou:

— Ena! — e Arriman, o Horrível, inclinou-se atentamente no seu lugar.

Havia agora tantos ratos que nem todos conseguiam pôr os pés doentes e retorcidos no chão, e movimentavam-se por cima das cabeças e das costas uns dos outros... Madame Olympia desligou a música e ajustou o som do amplificador para que apenas os guinchos e os movimentos hediondos dos ratos, amplificados para além do suportável, enchessem a cave.

De novo estalou o chicote e, incrivelmente, cada um dos deformados e medonhos animais inchou... inchou... duplicou de tamanho... triplicou... Ratos do tamanho de cães tão grandes que as esquálidas e pesadas caudas das bestas batiam como chicotes contra as pedras. E as moscas, essas temíveis portadoras da peste bubónica, caíam-lhes de cima. Grandes como chávenas.

Fazendo o seu sorriso cruel e enfatuado, a fada observava os milhares de monstros nojentos que enchiam a cave e se empurravam uns aos outros contra as paredes. Esmagavam-se uns aos outros debaixo dos pés, com os bigodes a espetarem-se como espinhos nos olhos e membros dos companheiros. Apareceram ainda mais ratos, camada sobre camada, até que a cave ficou cheia quase até ao tecto de monstros informes e aos guinchos.

Agora, só o espírito sorria. O ogre, apesar de ser o mais corajoso dos homens, puxara o Sr. Leadbetter para trás de Arriman, e as três feiticeiras, esquecendo as suas diferenças, agarraram-se uma às outras, tremendo.

A fada fez estalar o chicote outra vez. Perceberam então que ainda não tinha chegado ao fim da sua arte diabólica. Pois mesmo ali à frente deles, a carne, o pêlo, os olhos e a pele dos ratos gigantes começaram a franzir-se e a secar, acabando por desaparecer por completo até que a cave ficou pejada de esqueletos. Mas esqueletos que ainda corriam, trepavam, lutavam e mordiam. Sem olhos, sem pêlo, sem cauda, continuavam a ser ratos e, nas paredes, as suas sombras eram projectadas numa dança da morte grotesca e terrível.

— É bom, é mesmo muito bom — comentou o Sr. Chatterjee dentro da garrafa, mas estava a tremer como uma vara verde e Belladonna, quase desmaiando de repugnância, estava contente por Terence não estar ali.

Ouviu-se outro estalar do chicote e os ratos gigantes foram outra vez revestidos com a sua própria pele: o pêlo cinzento regressou, os olhos remelosos, as caudas escabrosas. Mas a parte mais horrível da prova ainda estava para vir. Pois, enquanto escutavam o último estalido do chicote, todos os ratos se atiraram uns contra os outros, com um desejo incontrolável de *saborearem a carne uns dos outros*. Era o canibalismo levado ao extremo, canibalismo na sua forma mais repugnante, ver os ratos afundarem os dentes amarelos nas coxas e nos ombros uns dos outros. Horrendo.

— Não aguento! — exclamou Belladonna, quase sem conseguir respirar.

Agora já não havia muitos ratos e poucos, cada vez menos corpos repuxados, desapareciam nas mandíbulas dos camaradas. Pouco depois, restavam apenas cinquenta ratos, depois vinte, depois cinco…

E depois um… Um único rato, enorme, sentado nos quartos traseiros despedaçados, com sangue a pingar de uma ferida lateral e a cauda do vizinho ainda a mexer, enquanto lhe desaparecia pela goela abaixo.

Mas ainda não tinha acabado tudo. Pois este último rato foi devorado pela mais terrível de todas as loucuras e, suspensos, os espectadores viram-no começar, lenta e implacavelmente a *comer-se a si próprio*.

Madame Olympia esperou até que as mandíbulas ficassem suspensas no ar. Depois estalou o chicote, as mandíbulas desaparecerem, virou-se para os juízes e voltou a fazer a vénia.

— A Sinfonia da Morte está completa — anunciou Madame Olympia.

E riu-se…

14

Madame Olympia alcançou nove dos dez pontos possíveis pela sua «Sinfonia da Morte», quase a nota máxima. O espectro adorou o número dela e, apesar de os dentes do Sr. Chatterjee terem continuado a bater durante muito tempo, ele também a achava muito esperta. Nem mesmo o pérfido Califa das *Mil e Uma Noites* tinha feito algo tão horrível.

— Por que é que só lhe deste nove? — perguntou Arriman a si mesmo naquela noite. — Por que não lhe deste a nota máxima? — Era ele quem tinha recuado. Os outros dois estavam dispostos a ir até ao fim e dar-lhe a pontuação máxima.

Arriman tentou perceber o que o teria impedido. Era certo que nenhuma das outras poderia ultrapassar o terror daquela magia. E o estilo, a elegância! As luzes estroboscópicas e aquele rato deixado sozinho no meio do chão a comer a sua própria carne! De pé, com o roupão vestido, Arriman recordou a gargalhada suave e malévola da Madame — era realmente muito atraente — e aquele jeito altivo de atirar a cabeça para trás. Não, ninguém poderia ultrapassá-la, isso era certo. Já só faltava uma feiticeira e, pelo que tinha ouvido, era uma feiticeira fraca, não era para ser levada a sério. Não, a Feiticeira número Seis seria a futura Sr.ª Canker. Ela devia sabê-lo.

— O espectáculo hoje foi bom, não achas Lester? — Arriman chamou a atenção do ogre, que estava a preparar-lhe o banho.

Lester saiu da casa de banho envolto em vapor e com um ar cansado.

— Muito bom, Senhor — respondeu, impassível.

— Aquelas luzes tremeluzentes e os esqueletos e as moscas gigantes. Gostei muito delas, e tu?

— Muito, senhor.

— É claro que algumas pessoas devem ter achado que não era realmente preciso os ratos... comerem-se daquela maneira. Isto é, eu próprio nunca me teria metido em tal coisa.

— Não, Senhor.

— Mas era impossível arranjar algo mais negro. E acho que ela era bonita. Não vi verruga nenhuma, e tu? Ou... bigodes? E tenho quase a certeza de que não tinha galochas calçadas.

— Não, ela não tinha galochas, Senhor.

— Estou contente que ela tenha ganho. Bom, ela ganhou com certeza. Estou mesmo muito contente. Acho que ela vai dar uma esposa excelente. Não me parece que depois de casarmos ela faça coisas comerem-se a si próprias. Só vai haver maldades e encantamentos, não achas?

— Sim, Senhor. O seu banho está pronto, Senhor.

— Hoje não estás muito comunicativo, Lester. Que se passa contigo?

— Estou um pouco cansado, Senhor.

— Estás? Bem, olha, vai chamar o sobrinho do Leadbetter, Terence. Ele pode esfregar-me as costas. É um bom rapaz, gosto dele.

— Acho que ele não está cá, Senhor — respondeu Lester, depois de uma curta pausa. — Ele foi visitar... a mãe.

— Foi? Ora bolas. Ela deve ser a irmã do Leadbetter, acho eu. Que pena. Ele talvez gostasse do dia de hoje — retorquiu o mágico, desatando o cinto do roupão. — O que ela tinha ao pescoço, aqueles dentes... eram dentes *humanos?*

— Sem dúvida, Senhor.

— Sim. Foi o que pensei. É uma moda nova, acho. Isto é, temos de acompanhar os tempos.

Arriman despiu as calças, as meias e os sapatos e estava quase a tirar as cuecas, quando o som de salpico do costume se fez ouvir por trás do lambril.

— Ó meu deus — exclamou Lester, que não estava com paciência para Lorde Simon.

Mas antes que pudesse escapar-se, a malvada assombração aproximou-se ondulando através dos painéis e pôs-se à frente de Arriman, com a sua cara pálida e culpada.

— Olá, olá! — cumprimentou o feiticeiro, alegrando-se, como sempre, com a visita do amigo. — Tenho grandes novidades para ti. Descobri uma feiticeira realmente negra. Tem pinta de vencedora.

O fantasma especou, em silêncio; os buracos dos olhos estavam escuros e inescrutáveis.

— Eu sei que não gostas muito de casamentos, mas vais gostar dela. Tem um estilo fantástico. Fez uma magia incrível, em que ratos... se comeram uns aos outros. É claro que não é para pessoas de estômago fraco. — Ainda em silêncio, o espectro voltou a salpicar o chão. — Bolas para ti! — gritou Arriman, repentinamente enfurecido. — Por que é que não *dizes* qualquer coisa?

O feiticeiro estava na banheira e Lester, que acabara de lhe esfregar as costas, estava no corredor a falar com o Sr. Ledbetter, quando um grito de angústia rasgou o ar.

— Lester! Volta aqui! Ele está a tentar meter-se aqui comigo. Leva-o daqui!

Lester não se mexeu.

— Não vais ajudá-lo? — perguntou o Sr. Leadbetter.

— Talvez não.

— Mas é o Kraken. Está sempre a tentar meter-se na banheira com ele.

— Mas — começou o Sr. Leadbetter, enquanto Arriman gritou de desespero outra vez.

— Olha — disse o ogre, coçando a pala do olho. — A noite passada aquele fulano mandou sete princesas de volta a sete países diferentes e três delas eram periquitos, patos coxos e pinguins antes de ele tratar delas. Há um mês, trouxe uma tonelada de sapos dentro do *Mini* do inspector de impostos. Que é que o impede de mandar o Kraken de volta ao mar ou de o transformar num chapeleiro ou coisa semelhante?

— Estás a dizer que ele gosta que o sigam por aí?

— Gosta? — retorquiu o ogre. — Adora! Anseia por isso. Nunca fica farto. Podes crer, se ele casar e tiver um filho, ele vai ser o maior palerma do mundo. Se alguém chamar «papá» àquele fulano, ele desfaz-se, pouco importam a magia e a malvadez.

Ambos ficaram em silêncio. A ideia do casamento de Arriman oprimia-lhes o peito como uma pedra. Terence ainda não tinha regressado e, mesmo que tivesse conseguido contratar um actor, será que seria possível enganar Arriman?

— Vais continuar cá se ele casar... com Madame Olympia? — inquiriu o Sr. Leadbetter, que mal conseguia pronunciar o nome da fada.

Lester abanou a cabeça.

— Acho que não seria capaz — respondeu ele. — Deus sabe que vai contra os meus princípios deixar o pobre, mas ela dá-me arrepios. Não me admirava nada que ela me transformasse num babuíno *e* me comesse ainda por cima.

— O que me preocupa é o rapaz — acrescentou o Sr. Leadbetter. Se alguma coisa acontecer a Terence, Belladonna nunca se vai recompor.

— Não vai acontecer nada — respondeu o ogre. — Ele pode ser pequenote, mas aquele miúdo tem a cabeça no lugar. Mesmo agora, eu não me admiraria se ele fosse bem sucedido.

— Espero realmente que estejas certo, Lester — retorquiu o secretário, coçando a cauda dormente. — Espero bem que sim.

Lester estava certo. Nenhum mal acontecera a Terence e, por volta do meio-dia, estava a tocar à campainha da casa de Amélia Leadbetter, nos arredores de Todcaster.

A princípio, quando voltou a ver as casas desoladoras e as ruas feias da cidade onde tinha sido tão infeliz, Terence sentiu-se receoso e inquieto. A Pensão da Sr.ª Leadbetter não ficava longe do Lar de Sunnydene e quando Terence pensou na Directora e nas coisas que ela lhe fizera, foi como se os últimos dias em Darkington nunca tivessem acontecido. Mas lembrou-se de que estava ali para ajudar Belladonna e não para se preocupar consigo próprio e foi com coragem redobrada que tocou a campainha.

A Sr.ª Leadbetter podia não ter cauda, mas era uma mulher activa e sensata e depois de ler o bilhete que o irmão escrevera e dar a Terence uma chávena de chá e uma sanduíche de pasta de arenque, meteu mãos à obra.

— Diz aqui que querem um actor para participar num espectáculo na casa? Alguém alto e habituado a peças antigas, não é?

Terence assentiu com a cabeça.

— Era bom que estivesse também acostumado a falar à moda antiga.

— Como nas peças de Shakespeare. — Amélia abanou a cabeça. — Bom, há muitos actores desempregados por aqui. Não queres um comediante, não é? É um papel importante?

— Sim. Ele faz o papel de um cavaleiro com a sua armadura de metal. É um papel muito bom. Um papel de estrela.

— E tem de ser alguém capaz de guardar um segredo. Então vejamos... — Inclinou-se sobre a mesa e voltou a encher a caneca de Terence com chá quente. — Temos o Bert Danby, mas é bêbedo e não se pode confiar num bêbedo. Depois, temos o Dave Lullingworth (anda a fazer anúncios de comida para gatos na televisão), mas Dave era capaz de contar a história da vida dele a um tijolo. Espera! Já encontrei! Sim, Monty Moon. Já está velhote mas, com a maquilhagem certa, passa. Monty já não trabalha há anos, mas trabalhou no teatro de Shakespeare. Não estou bem certa, mas acho que ele já fez de fantasma em *Hamlet*.

Terence estava muito entusiasmado.

— Parece perfeito! — exclamou ele. Um actor que estava habituado a fazer de fantasma era mais do que esperara.

Depois, Amélia telefonou ao Sr. Moon, que, por sorte, estava em casa e concordou em vir ter com eles de imediato.

Monty Moon era alto, pálido e ligeiramente corcunda, com uma grande cabeça em processo de perda de cabelo e uma forma de posicionar o queixo, que não permitia que se vissem as rugas ou pregas da pele. Quando viu Terence, ficou surpreso e mostrou-se um pouco arrogante, mas quando pôs os olhos na carteira que Terence tinha, por acaso, deixado aberta sobre a mesa, perdeu de imediato toda a arrogância.

Cinco minutos mais tarde, estavam imersos na conversa.

— Bom, parece-me que tenho de fazer o papel de um espectro malvado, que matou as suas mulheres e que, de repente, está de volta ao mundo dos vivos. Está correcto?

— Exacto.

— Agora, rapaz, conta-me mais coisas. Tenho de entrar de *corpo inteiro* neste papel. Quantas mulheres assassinei? Que tipo de armadura uso? Tenho manchas de sangue?

Terence disse-lhe tudo o que sabia sobre Lorde Simon e o Sr. Moon escreveu tudo no seu bloco de notas.

— E ele não usa capacete, nem nada — disse Terence a terminar. — A parte de cima está livre e as mãos também, para poder bater na testa fazendo o barulho de salpico.

— Assim? — perguntou o Sr. Moon, fazendo um gesto dramático com o braço e batendo na testa?

— Bem, sim, mas o barulho é mais suave.

— Não te preocupes, meu rapaz. Quando chegar a altura já serei capaz de o fazer como deve ser. E os efeitos sonoros? Querem algo de especial para quando eu aparecer? Cães a uivar? Tempestades? Galos a cacarejar? É só dizerem.

Depois, continuaram a discutir pormenores durante mais uma hora e acordaram em tudo o que Terence teria de preparar: caveiras, incenso e coisas do género, pois apesar de Belladonna ter escrito «Nada» na sua lista quando tinham Rover com quem contar, agora que a magia dela ia ser encenada, quanto mais coisas houvesse para ela se apoiar, melhor. Quando o Sr. Moon soube que ia receber 500 libras agora e outras 500 quando tivesse convencido toda a gente de que era realmente Lorde Simon ressuscitado, ele prometeu por sua própria iniciativa trazer um electricista e um director de palco, que tinham uma carrinha e o poderiam ajudar a tratar de tudo.

— Vais ver, meu caro rapaz, vai ser um espectáculo de primeira. Sempre fiz os meus melhores papéis em peças antigas. Agora, faz-me aí um desenho para eu me orientar na casa, na noite anterior, e preparar uns efeitos especiais. Era óptimo se houvesse um alçapão, mas não se pode ter tudo.

Quando terminaram, Terence agradeceu à Sr.ª Leadbetter. Quando voltou para agradecer ao Sr. Moon, encontrou o actor de pé, no meio da sala, a bater com a mão na testa e a praticar o som do salpico. Percebendo que encontrara alguém que levava o seu trabalho muito a sério, Terence foi-se embora bastante animado.

15

No domingo antes do *Hallowe'en,* Arriman acordou com dor de cabeça. À semelhança de Terence, também ele tinha tido um sonho e um sonho com dentes. Vira um colar a flutuar no ar com cinco novos molares, com chumbo e tudo. Arriman percebeu imediatamente que aqueles dentes eram os seus e começou a emitir sons de chamada para os dentes como os que se fazem a chamar as vacas para serem mungidas ou as galinhas para comerem. Mas os dentes não vinham. Pareciam que escarneciam dele e flutuavam para longe. Então, Arriman acordou e ficou quase feliz por ouvir, de debaixo da tampa da terrina, os gritos abafados «Papá! Papá!» com que o Kraken saudava a manhã.

O Sr. Chatterjee já estava tomar o pequeno-almoço dentro da garrafa, com um ar alegre e relaxado. O clima do Norte de Inglaterra não era bom para ele e, assim que a Feiticeira Número Sete fizesse a sua magia, regressaria a Calcutá.

— Bom, temos o dia livre — exclamou Arriman, que estava sempre feliz ao pequeno-almoço. — A Feiticeira Número Sete só vai fazer a magia dela amanhã à noite. Acho que vou fazer uns encantamentos e uma maldadezitas; estou a ficar com falta de prática. E tu, Sniveller?

Mas o espírito, que estava exausto e se tinha curvado pelos rins, não respondeu. Quase nunca o fazia.

Então, Arriman saiu e encantou uns abetos e abriu uns pedregulhos em dois e fez vir uma tempestade do oeste — uma magia fora de moda, simples, da qual gostava muito — e pensou em como tinha sido bom o tempo em que o Vigilante Mágico se sentava calmamente ao portão e os carvalhos não estavam cheios de merceeiros adormecidos e não andavam feiticeiras perdidas a aparecer em buracos sem fundo no Relvado Este.

— Bom, amanhã acaba-se tudo — pensou ele. — Amanhã terei a certeza de quem vai ser a minha mulher. Não, estou a ser tolo. Eu *já* sei.

Depois disto, foi procurar o Sr. Leadbetter para lhe pedir uns comprimidos de magnésio. Apesar de ser um feiticeiro, Arriman tinha dor de estômago.

Entretanto, no acampamento, Belladonna estava sentada junto à fogueira, muito infeliz, pensando no facto de Arriman estar definitivamente perdido para ela. Mesmo antes de a fada ter feito a sua magia, Belladonna não esperava realmente ganhar, apesar de que, quando Terence estava com ela, se ter algumas vezes sentido forte e confiante. Agora, toda a esperança se desvanecera.

Pegou no espelho mágico. Arriman estava a engolir pequenos comprimidos brancos. Tinha um ar pálido e ansioso, mas que lhe importava isso? Seria Madame Olympia quem o iria confortar e fazer festas no caracol das maldições, que lhe pendia sobre o sobrolho franzido.

Estes pensamentos melancólicos foram interrompidos pelo barulho de qualquer coisa a abanar atrás dela, seguido por um arranhar. A Maga Bloodwort rastejou para fora da tenda de Belladonna, com as moscas agarradas à cabeça como se fossem um tapete. A velha feiticeira passara demasiado tempo na forma de mesa de café e, quando se abateu sobre o banco que Belladonna lhe estendeu, tinha um aspecto abatido e confuso.

— Que aconteceu? — perguntou, piscando os olhos. — O último era um cisne?

— Receio bem que não — respondeu Belladonna, com delicadeza. — Era um periquito, muito esperto, por sinal. Pediu um biscoito.

— Não é a mesma coisa, pois não? — observou a velha feiticeira. — Não sei o que correu mal. Tive uma nota baixa, suponho?

— Bom… três em dez. Não é nada mau. De qualquer forma, é mais do que eu vou ter.

A Maga Bloodwort atirou os chinelos para longe, de forma que o calor lhe chegasse aos joanetes e fixou o olhar triste nas chamas.

— Mesmo que tivesses conseguido transformar o cisne, não teria feito grande diferença — acrescentou Belladonna tentando confortar a outra. — Porque Madame Olympia teria ganho, de qualquer forma. Ela fez uma coisa terrível, com ratos. Chamava-

-se «Sinfonia da Morte». Teve nove em dez pontos: não é possível ganhar-lhe.

— «Sinfonia da Morte», é isso? — inquiriu a Maga pensativamente. — Já ouvi falar. Muito negro, isto é, muito malvado. Não há muitas feiticeiras que o consigam fazer; nem mesmo no meu tempo. Bem me pareceu que ela ia virar Arriman às avessas assim que olhasse para ele. Ainda bem que ele tem dentes bons.

— Não, *Não!* Não digas isso! — gritou Belladonna. — Arriman é o Mago mais poderoso que há no mundo! Ela não seria capaz de o magoar!

— Bem, talvez não — comentou a Maga Bloodwort. Soltou um suspiro. — Acho que o casamento não teria realmente sido bom para mim. Já perdi o jeito, parece-me, e aquele feitiço para voltar a ser jovem não está a dar grande resultado.

Levantou-se com um rangido, foi buscar a lata com a imagem da Coroação na tampa e começou a abanar a cabeça na direcção da lata, soprando sobre as moscas que iam caindo, para as transformar em larvas. — Acho que é melhor ir preparar-me para o almoço.

Mas antes que a Maga se pudesse mexer, Ethel Feedbag e Mabel Wrack aproximaram-se aos solavancos, ambas a espumar de raiva.

— Olhem! — exclamou Mabel, enquanto pousava o balde onde levara Doris para o seu passeio do meio-dia e apontava para a caravana da fada.

Belladonna levantou os olhos e franziu o sobrolho.

— Que estranho — comentou ela.

A caravana de Madame Olympia tinha um pequeno fogão e uma chaminé. E claro, como era feiticeira, o fumo da chaminé soprava na direcção oposta à do vento. Mas não fora isso o que motivara a ira de Ethel e Mabel. Madame Olympia tinha enfeitiçado o fumo para que este surgisse em forma de letras: a letra O seguida da letra C, uma atrás da outra, sobressaindo claramente no azul profundo do céu de Outono.

— Que significa aquilo? — perguntou Belladonna, confusa.

— Que te parece? — grunhiu Mabel Wrack. — Aquelas são as novas iniciais dela, é claro. Olympia Canker. Está a querer dizer-nos que ganhou.

114

— Mas não ganhou. *Ainda não!*

Esta voz era nova e Belladonna saltou como uma mola ao ouvi-la.

— Terence! Oh, estou tão contente por teres voltado! Não imaginas como senti a tua falta.

Mas apesar de a ter abraçado carinhosamente como de costume, os olhos de Terence estavam fixos na chaminé da fada.

— Vais ganhar-lhe Belladonna. Vais ter a pontuação máxima. Vais ver.

16

No Salão Grande em Darkington, o relógio batia as onze horas. Faltava uma hora para o verdadeiro início da festa do *Hallowe'en,* a festa dos Mortos, quando as Sombras dos Desaparecidos se aproximam, durante algumas horas, daqueles que deixaram para trás.

Velas altas brilhavam em doze castiçais com chamas doentias; toros de amieiro retorcidos e cheios de nós, como antigos membros decepados, silvavam e estalavam na lareira e o vento, soprando através dos barrotes, fazia ondular de modo misterioso a tapeçaria com o cavalheiro a ser trespassado pelas setas, enquanto era queimado vivo.

Belladonna aguardava a sua vez. Estava lívida, como um lençol, por debaixo do manto e da máscara. Terence tinha ensaiado a magia com ela vezes sem conta. Assegurara-lhe de que tudo estaria pronto, posto numa grande mesa de refeitório, coberta com uma toalha; ele próprio estaria escondido debaixo da mesa, pronto para lhe entregar Rover na altura certa e ajudá-la caso se esquecesse de alguma coisa. Enquanto esperava por detrás de um biombo com as outras feiticeiras, Belladonna podia ver que ele cumprira a sua palavra. A mesa com os candelabros, a caveira e o retrato de Lorde Simon, parecia um daqueles altares de necromancia que vira nos livros. Mas isso apenas a fez sentir mais receosa pelo que estava prestes a fazer.

— Feiticeira Número Sete, avance! — ordenou o Sr. Leadbetter.

O secretário tinha um aspecto cansado e abatido. Por muito que se tentasse convencer do contrário, fazer batota não *era* o mesmo que fazer feitiçaria e magia negra. A aldrabice, fosse qual fosse a perspectiva com que se encarasse, era *desprezível*. E se Monty Moon falhasse e Belladonna fizesse figura de tola?

Mas ela, tentando fazer com que os joelhos parassem de tremer, caminhava em direcção à mesa dos juízes. O Sr. Leadbetter, tentando acalmar-se disse:

— Anuncie a sua feitiçaria!

Belladonna inclinou-se e fez uma vénia junto aos juízes. Quando levantou a cabeça com altivez, a sua voz clara e jovem chegou até ao recanto mais escondido da casa.

— VOU TRAZER LORDE SIMON DE VOLTA AO MUNDO DOS VIVOS — anunciou ela, permitindo-se um olhar vagaroso sobre Arriman, que estava sentado, ensimesmado e aborrecido, entre os outros dois juízes.

Mas quando ouviu as palavras dela, o Mago inclinou-se para a frente, franzindo furiosamente a testa e com lume a jorrar da orelha esquerda. Ela ia fazer necromancia? Uma coisa tão difícil que até ele, Arriman, o Horrível, tinha falhado vezes sem conta. Uma feiticeirazita pequena, que nem lhe chegava ao ombro. Como se *atrevia?*

Durante curtos instantes pareceu que Arriman ia fazer uma cena. Porém, mesmo enquanto baixava o punho para bater com ele na mesa, a curiosidade levou a melhor. Era uma impertinência, é claro, um enorme descaramento. Contudo, não fazia mal nenhum deixá-la tentar. Talvez ela tivesse percebido quanto ele gostava do fantasma seu amigo.

Então, Belladonna avançou até à mesa, com a toalha comprida, os candelabros e a caveira e, enquanto o fazia, Terence meteu-lhe a caixa de Rover no bolso do vestido. Depois, ela tirou um alfinete do outro bolso e picando o dedo com ele, deixou cair uma gota de sangue, como se fosse uma pérola vermelha, sobre o vaso do incenso. De imediato se formou um clarão e uma cortina de fumo rosa, ametista e cor de laranja subiu quase até ao tecto.

— Graças a deus — exclamou Lester, que acreditava que se era preciso fazer vigarice, o melhor era fazê-la bem feita. De madrugada, ouvira uma carrinha entrar no pátio, mas esse era o único sinal de que Monty Moon e o seu pessoal tinham chegado e Lester começava a duvidar.

— Que venham as trevas! — bradou Belladonna. Instantaneamente, todas as velas se apagaram e o salão mergulhou na mais negra e impenetrável escuridão.

Belladonna deixou que a escuridão e o silêncio pairassem ali por um momento, fazendo com que a pele de alguns se arrepiasse um pouco. Depois, pegou na caveira oca e dirigiu-se ao triângulo mágico que Terence desenhara a giz por debaixo da tapeçaria.

— Escutais-me, Sombras do Mundo Subterrâneo? — gritou Belladonna, erguendo a caveira.

As Sombras ouviram-na. Primeiro veio um murmúrio baixo e receoso que se transformou numa cacofonia de gargalhadas, guinchos e gritos; debaixo da mesa, Terence suspirava de alívio, o Sr. Moon tinha cumprido o combinado — e melhor do que podiam esperar.

Os dentes de Belladonna batiam uns nos outros. Parecia-lhe que Terence tinha razão e que com Rover a ajudá-la não havia limites para a sua magia negra. Continuou com bravura e, pousando a caveira, pegou no retrato de Lorde Simon e ergueu-o bem alto.

— Peço-vos, Sombras, que liberteis do tormento eterno o espírito deste homem! — implorou ela.

Fizeram-se ouvir mais gritos e berros dos espíritos, enquanto nos barrotes os corvos crocitavam pavorosamente.

— Lorde Simon Montpelier, Cavaleiro de Darkington, ordeno-te que apareças! — vociferou Belladonna.

A tagarelice e os guinchos cessaram e, no negro silêncio que envolvia a sala, surgiram luzes brancas incorpóreas, que treme-luziam e ao mesmo tempo soltavam um cheiro de decadência insuportável.

— Velas de cadáveres — murmurou a Maga Bloodwort, afas-tando a saia de uma que se aproximara demasiado.

Então, todas ao mesmo tempo, as velas apagaram-se e pela sala espalhou-se um frio jamais sentido: a frieza do túmulo, da sepul-tura, da própria morte.

— Gostava de saber como foi que ele fez aquilo — sussur-rou Lester, cujo respeito pelo Sr. Moon aumentava a cada minuto. — Deve ser uma coisa química, suponho.

Mas agora a frieza estava a desaparecer e o olhar de todos erguia-se para a parede, à esquerda da chaminé. A tapeçaria com o homem trespassado pelas setas estava a começar a iluminar-se, a brilhar e a cintilar com uma luz quase imaterial.

Belladonna levou a mão ao bolso para um último toque na caixa de Rover. Estava incrivelmente cansada e os joelhos pare-ciam gelatina, mas não ia deixar-se ir abaixo agora. Tirando da mesa a varinha mágica, bateu duas vezes com ela no chão e, inci-tada por Terence, que entoava os feitiços ao mesmo tempo que ela, proferiu as palavras mais antigas que todos os livros de magia da Terra:

— *Allay fortission! Fortission Roa!*

O brilho em torno da tapeçaria tornou-se mais luminoso. O relógio bateu as doze badaladas da meia-noite. Enquanto soava a última badalada surgiu, de trás da tapeçaria, lenta e vacilante, uma mão. Uma mão branca, magra e de dedos longos, com um anel de esmeraldas num deles.

Durante uns momentos, a mão imobilizou-se. Depois, tacteou a orla da tapeçaria e, com um gesto violento e súbito, arrancou-a da parede e atirou-a por terra.

Dos esconderijos entre as pedras surgiu, pálida e abatida, a figura de um cavaleiro da Época Isabelina.

Um grito de alegria de Arriman rompeu o silêncio sepulcral.

— Lorde Simon! É mesmo o senhor? — gritou ele, empurrando a cadeira com tanta força que ela se espatifou contra o chão. Atirando-se para a frente agarrou as mãos do fantasma com as suas próprias mãos.

— Sim, sou eu — asseverou Lorde Simon. A voz dele era clara e melodiosa como um oboé a tocar uma melodia triste. — Tendes diante de vós a figura manchada pela culpa de Lorde Simon Montmorency Montpelier.

— Oh, não posso crer! Mas sim, sim, consigo sentir-vos; sois sólido! E veja-se aquela veia a latejar na vossa têmpera esquerda! Oh, que dia mais feliz! Que êxtase! Que felicidade! — Lorde Simon retirou a mão esquerda das mãos de Arriman e levou-a à fronte. O som de salpico estava muito melhor que quando era apenas um fantasma: mais sólido, mais húmido, mais *real*. Arriman estava bastante agitado. — As conversas que vamos ter! As confidências! Os passeios! As maravilhas da natureza que vamos partilhar! Meu querido, querido amigo, este é o melhor dia da minha vida!

Depois, recordando-se finalmente de que aquilo era um concurso, Arriman virou-se para os outros juízes.

— A pontuação máxima, cavalheiros. Estamos de acordo?

O espírito mostrou com um aceno da cabeça o seu acordo — gostaria que o mundo fosse habitado por pessoas que estivessem mortas — e o Sr. Chatterjee sorriu.

Mas estas palavras não foram escutadas por Belladonna. Vencida pela fadiga, pelo terror e pela tensão, Belladonna tinha desmaiado.

119

17

Belladonna acordou numa cama com dossel, num quarto no alto da Torre Norte de Darkington. O Sr. Leadbetter e o ogre tinham-na levado para lá, no final do concurso. Terence saltitava à volta dela, preocupado, mas felicitando-a ao mesmo tempo. Belladonna não se conseguia lembrar de muita coisa; apenas recordava que se tinha preocupado com os coelhinhos e com o facto de não ter escova de dentes e com Terence, que fora ao acampamento tratar de tudo.

Há quanto tempo tinha sido? Ainda parecia estar escuro, mas agora sentia-se fresca e feliz. Tinha conseguido! Vencera! Ia ser a noiva de Arriman. Ficaria sempre com ele, para lhe concertar o bigode e massajar os tornozelos, se estivessem inchados, e partilhar os segredos dele, as suas esperanças, os medos.

— Oh, glória! — exclamou ela e, sorrindo, adormeceu de novo.

Mas uma feiticeira branca *feliz,* uma feiticeira ditosa e enamorada, pode ser um desastre. Enquanto Belladonna dormia, o quarto começou a encher-se de belos flocos de neve do tamanho de pires; cada um era uma estrela de seis pontas perfeita e os flocos de neve não se derretiam mas pousavam suavemente nos pendentes da cama, no tapete, no lavatório. Uma caixa de música esmaltada surgiu da cómoda e começou a tocar uma valsa vienense; fios de ouropel, ouro e prata ornamentaram o tecto e os parapeitos das janelas encheram-se com filas de lindos cravos.

E Belladonna, ignorando tudo isto, continuava a dormir.

Enquanto Belladonna continuava a sonhar, deitada no Quarto da Torre, Arriman estava na biblioteca a falar com Lorde Simon Montpelier. Arriman sugerira que o cavaleiro talvez gostasse de trocar a armadura que usara durante quatrocentos anos por algo mais confortável. Apesar de ter murmurado qualquer coisa acerca da qualidade das suas roupas interiores, o assassino de esposas usava agora o segundo melhor roupão de Arriman — um roupão de cor castanha, com aplicações de demónios e forcados — e estava a contar ao Grande Mago a história da sua vida.

— Então *Lady* Anne foi a tua primeira mulher? — inquiriu Arriman, empurrando a garrafa de *whisky* para junto do amigo.

— Isso mesmo — concordou Lorde Simon. — Foi essa que eu afoguei. Quando o galo cantou pela segunda vez, afoguei-a. Tive de o fazer. Ela fazia o quarto ressoar como se o estivessem a partir ao meio.

— Ah, ela ressonava. É isso que queres dizer? — acrescentou Arriman. — Isso é angustiante. Não há nada pior.

O cavaleiro assentiu com a cabeça e deu uma pancada ligeira na testa.

— Depois desposei *Lady* Mary. A ela peguei-lhe pela garganta e apertei os dedos à volta dela.

— Estrangulamento. — Arriman acenou com a cabeça.

— Ela roubava-me a comida — acrescentou o cavaleiro.

— Esbanjava as coisas de casa, não era? Nesse caso, teve o que merecia. E a seguinte?

— Depois tomei como esposa a doce Olívia. A ela, enclausurei-a na latrina por ter dado certas liberdades ao safado que lhe fazia o despejo.

Arriman abanou a cabeça.

— Terrível, terrível. Passaste por cada coisa!

Lorde Simon continuou a falar ao Grande Mago sobre *Lady* Júlia que tinha esfaqueado na adega porque tinha um cão horrendo que passava o tempo a ganir e de *Lady* Letitia a quem tinha atirado de cima de um rochedo porque se embebedava. Estava a começar a falar de *Lady* Henrietta, a quem matara com veneno debaixo da língua porque dava com ele em doido por andar pela casa a dormir, quando se ouviu bater à porta e o ogre entrou.

— O Kraken está na terrina à espera que lhe vá dar as boas-noites, senhor, e já preparei o seu pijama. Deseja mais alguma coisa?

— Não, não Lester. É tudo. Podes ir deitar-te.

— Arranjei o Quarto Verde para Lorde Simon — disse Lester, piscando o olho ao Sr. Moon — porque está mais perto da casa de banho.

— Está bem. Está bem — replicou o feiticeiro com impaciência. Ainda faltava uma esposa e ele queria saber tudo sobre ela.

— Chegou um postal do Vigilante Mágico no correio da tarde, Senhor — acrescentou o ogre. — Chegou a Skegness e espera estar de volta depois de amanhã.

Finalmente tinha conseguido captar a atenção do amo.

— Isso são óptimas notícias! Estou realmente contente. Não gostava que ele perdesse o casamento. — Mas a palavra «casamento» tinha efeitos perversos em Arriman e a face ensombrou--se-lhe; bebeu o resto do *whisky* num único gole. — Não fazes ideia do que as mulheres fazem, Lester. Lorde Simon tem estado a contar-me. Ressonam, têm cães pequenos e andam durante o sono. E estas são *apenas* mulheres comuns! Quer dizer, esta feiticeira... ela deve ser mesmo muito negra para conseguir fazer necromancia. Acho que uma feiticeira assim deve ter muito maus hábitos.

— Não necessariamente, Senhor — retorquiu Lester.

— E se ela for mais negra do que eu... isto é, não quero ser *dominado* por ela. Não há nada mais idiota do que um feiticeiro dominado pela mulher.

— Senhor — prosseguiu Lester, perdendo a paciência —, ainda não viu a Feiticeira Número Sete. De qualquer forma, que é feito do seu dever para com a feitiçaria e a magia negra? E o bebé que vai ter? *Para que foi* — perguntou Lester — que fizemos o concurso?

O Grande Mago suspirou.

— Sim, sim, estás certo, Lester. Vou vê-la logo de manhã e acertar a data.

Quando Lester saiu do quarto, Arriman estava inclinado para a frente e perguntava, muito interessado:

— E a última? *Lady* Beatrice, não era? Que fez ela?

— Tinha cheiro — respondeu Lorde Simon. — Cheirava muito mal.

Tendo chegado ao fim das histórias das suas esposas, o cavaleiro serviu-se de mais um *whisky* e voltou ao princípio.

Arriman fez o que prometera e, a manhã seguinte encontrou--o a trepar os degraus curvos da torre onde Belladonna estava.

Não se sentia nada bem. Lorde Simon tinha-lhe contado as história das mulheres assassinadas, não uma, mas três vezes e, apesar de Arriman compreender que o assassino precisava muito de

122

falar, após quatrocentos anos passados a bater na testa, sentia-se algo cansado. O ogre e o secretário também não se sentiam muito bem. Seguiam logo atrás dele, com o mesmo ânimo. Tinham passado a noite com medo de que o verdadeiro Lorde Simon irrompesse da parede e desmascarasse tudo. Além disso, não estavam a gostar da maneira como o Sr. Moon se estava a acomodar ao seu papel. Esse era o problema dos actores. Podíamos pô-los *no palco*, mas tirá-los de lá já não era tão fácil.

— Leadbetter, serias incapaz de me mentir, não é? — perguntou Arriman, virando-se para trás. — Ela não está coberta de verrugas? Isto é, *coberta?*

— Não Senhor, de modo algum.

— E os dedos das mãos e dos pés? Estão lá todos? Não há cotos, por exemplo? Nada enredado? Nada que se pareça com garras?

— Não, Senhor.

O Grande Mago subiu mais alguns degraus e virou-se outra vez.

— E... não é nada pessoal, compreendes, porque a tua é amorosa; isto é, faz parte de ti, mas ficava um bocado estranha numa mulher. Em suma, Leadbetter, ela tem alguma... cauda? Sabes, uma daquelas coisas em forma de garfo, preta e peluda?

— Não, Senhor — respondeu o secretário. — A Feiticeira Número Sete não tem cauda.

— E chama-se Belladonna?

— É verdade.

— Belladonna Canker. Soa bem.

Quando chegou ao degrau mais alto, Arriman parou, respirou fundo e abriu a porta com estrondo.

Belladonna estava sentada na cama. O sol, que entrava pela Janela Este, dera-lhe uma tonalidade doirada ao cabelo; os olhos estavam brilhantes de felicidade e azuis como o céu de Verão e estava a cantar uma canção: uma daquelas canções que falam da Primavera e de amor. De muito amor.

Arriman parou à porta, lívido com o choque, incapaz de se mover.

— Quem... é esta? — perguntou a gaguejar.

— Esta é Belladonna, Senhor. A Feiticeira Número Sete. A vencedora do concurso!

— Não estás a pregar-me uma partida?

— Não, Senhor.

— Ela não… está num estado de encantamento? Ou seja, será que não tomou outra forma só para me intrujar? É sempre assim?

— Sempre, senhor.

Entretanto, Belladonna fixava Arriman com grande entusiasmo. Os olhos dela mostravam tudo o que lhe ia no coração. Nunca tinha estado tão próxima dele e absorvia tudo sobre ele: as narinas cintilantes, as orelhas em tufo, a curva do nariz.

— Belladonna! — exclamou o Grande Mago, dando um passo em frente. A voz estava trémula, os olhos queimavam e o peito palpitava.

— Arry? — murmurou Belladonna, envergonhada, por debaixo das pestanas cerradas.

— Arry! Toda a minha vida desejei que alguém me chamasse Arry.

Lester e o Sr. Leadbetter trocaram olhares significativos. As coisas estavam a acontecer como desejaram, mas não pensaram que fossem exactamente assim.

— Leadbetter, temos de nos casar imediatamente! Amanhã, o mais tardar! — disse Arriman, que se tinha sentado na cama de Belladonna e lhe segurava ambas as mãos.

O Sr. Leadbetter suspirou. Era típico de Arriman passar semanas a resmungar por ter de se casar e depois apaixonar--se perdidamente e arranjar uma carga de trabalhos a toda a gente.

— Receio que isso seja impossível, Senhor. É preciso enviar os convites para o casamento, encomendar a comida, comprar o vestido da noiva. Preciso de três semanas, no mínimo.

— Três semanas! Não posso esperar três semanas! Podes esperar minha querida?

— Ó meu deus — murmurou Lester. Tinha-se esquecido de como as pessoas ficam ridículas quando estão apaixonadas.

Mas agora, o aspecto estranho do Quarto da Torre tinha chamado finalmente a atenção de Arriman e, sem largar a mão de Belladonna, fitou surpreendido com os estranhos flocos de neve, os fios de ouropel e as pedras-da-lua cintilantes, que caíam da boca do jarro da água.

Sem perder nenhum movimento dos olhos do seu amado, Belladonna corou e disse:

— Desculpa tudo isto. Aconteceu enquanto estava adormecida. Sabes Arriman, tenho de dizer-te que costumava ser uma feiticeira branca.

— Não, não, meu tesouro — retorquiu o mágico, loucamente apaixonado. — Isso é quase impossível, o teu cabelo é tão doirado, as tuas faces tão rosadas, os olhos têm um azul tão lindo.

— Não estava a referir-me a isso — replicou Belladonna. — O que eu quero dizer é que a minha magia *era* branca. Era uma feiticeira branca.

Tinha finalmente conseguido fazer-se entender por Arriman. Um esgar trespassou-lhe o rosto.

— Minha muito amada, não deves *dizer* coisas dessas!

— Oh, está tudo bem. Agora já não sou branca. Estou muito, muito negra. Bem viste como eu estava. Rover ajudou-me — interrompeu-se com um gritinho. — Oh, que coisa horrível! Que egoísta e cruel que eu sou! Deixei Rover nesta caixa de fósforos a noite toda! Pobre Rover; deve estar tão seco e tão triste; Terence nunca vai perdoar-me.

Belladonna retirou as mãos das de Arriman e, saltando da cama, correu para a cadeira onde o vestido estava pousado.

— Agora é que é — sussurrou o ogre.

Belladonna descobriu a caixa de fósforos, abriu-a e, enquanto a fixava, a cor desapareceu do seu rosto.

Quando falou, fê-lo numa voz tão cheia de angústia e incredulidade que mal a reconheceram.

— Rover desapareceu — disse Belladonna. — *Desapareceu!* Fez-se um silêncio profundo.

— Tenho de o encontrar Arry, tenho mesmo. Ele é o meu auxiliar, sabes? Sem ele não sou nada.

Começou a procurar desesperadamente, levantando os cravos, empurrando para o lado os flocos de neve. Arriman começou a ajudá-la quando percebeu que o ogre estava a acenar-lhe, do outro lado do quarto.

— Senhor — murmurou Lester quando conseguiu que Arriman saísse do quarto. — Quer parecer-me que não vale a pena procurar a minhoca porque ela não está perdida. Foi roubada. Soube-o desde o princípio.

— Desde o princípio? Mas Belladonna só agora reparou que a minhoca tinha desaparecido — retorquiu Arriman, com ar confuso.

Lester percebeu que tinha cometido um erro. Se contasse a Arriman que Rover tinha desaparecido antes de ter ressuscitado Lorde Simon, ele ficaria imediatamente desconfiado. Belladonna tinha deixado bem claro que a sua magia negra vinha de Rover, portanto, se não houvesse auxiliar, não haveria magia negra. Isso iria logo revelar o facto de Lorde Simon não ser realmente Lorde Simon, mas sim um actor chamado Monty Moon.

— Agora não posso explicar-lhe, Senhor — respondeu Lester. — Mas posso garantir-lhe uma coisa. Rover pode ser muito capaz, mas não o suficiente para fechar a caixa de fósforos, depois de se ter esgueirado de dentro dela. Não, a minhoca foi roubada e aposto que sei quem foi.

— Quem?

— A Feiticeira Número Seis. Aquela Madame Olympia. E Leadbetter concorda comigo.

— Oh, não! Com certeza que não! — Arriman estava chocado. — Aquela do sorriso cruel e interessante e dos... ratos...?

— Lester acenou a cabeça afirmativamente.

— Se eu estiver certo, o melhor é irmos depressa até à caravana dela. As feiticeiras vão partir amanhã.

Arriman tinha o sobrolho franzido. Quanto mais se recordava da «Sinfonia da Morte», mais lhe parecia ser preferível não enfrentar a fada.

— Acho que devíamos apanhá-la de surpresa — retorquiu ele. — O que significa disfarçarmo-nos. Que tal transformares-te num coelho, Lester?

— Nem pensar, Senhor!

— Vá lá! Não sejas desmancha-prazeres.

— Não, Senhor. Definitivamente, *não*.

Enquanto Arriman e o ogre dialogavam, Madame Olympia fazia as malas.

Desde que Belladonna ganhara o concurso, estava tão enraivada que fizera três buracos no chão da caravana, no sítio onde batera com o pé. O corpo ficou completamente coberto de manchas, o que a fez decidir regressar de imediato a Londres, para o

Salão de Beleza, onde podia preparar uns cremes e unguentos para se livrar delas. Depois, planeou voltar como a Rainha da *Branca de Neve*, com uma maçã envenenada ou um espartilho também envenenado para vender a Belladonna à porta de casa e que acabaria por a matar. O problema era que talvez Belladonna não *usasse* espartilho — hoje em dia não há muito quem os use —, portanto teria de pensar noutra coisa.

Saiu da caravana para uma última tarefa: deitar fogo a umas coisas que já não queria. Coisas horríveis, inúteis, decepcionantes, de que queria livrar-se de uma vez por todas. Enquanto o fazia, não reparou num coelho e numa raposa que lhe passaram por debaixo das pernas a correr em direcção à caravana.

Se se tivesse dado ao trabalho de olhar, podia ter notado que a raposa era muito bonita — coisa pouco usual — com uma grande e espessa cauda de pêlo cor do Outono e que o coelho, que parecia algo aborrecido, tinha apenas um olho. Mas só se voltou para dizer, em fúria:

— Saiam daqui *imediatamente,* animais imundos. Xô.

Mas é óbvio que eles já não eram animais imundos. Sentados à volta da mesa, estavam Arriman, o Horrível, e o ogre.

— Bom dia — disse Arriman, delicado como sempre.

— Como se atrevem? — bradou a fada. — Como se *atrevem* a entrar aqui desta maneira?

Arriman olhou-a. O poder de uma fada é completamente inútil em alguém que está verdadeiramente apaixonado. Agora, Arriman podia vê-la como realmente era e não gostou do que viu.

— Temos razões para crer que tens na tua posse algo que pertence à minha noiva — explicou o feiticeiro. — Mais exactamente, o auxiliar dela.

— O auxiliar? De que diabo estás a falar? Eu tenho um auxiliar óptimo, como podes ver. — Madame Olympia deu um pontapé ao porco-formigueiro, com o calcanhar.

Depois fechou os olhos e começou a tagarelar umas coisas imperceptíveis. Mas antes que ela pudesse fazer mais alguma coisa, Lester, a um sinal do amo, pegou num jarro cheio de leite e despejou-lho por cima da cabeça.

— Esta agora! — murmurou Madame Olympia.

O leite é um antídoto bem conhecido para a magia; quase tão bom como comer rosas ou pegar num ramo de sorveira.

— Rápido! Procura em todo o lado! — ordenou Arriman, enquanto a fada, procurando uma toalha, murmurava palavras que Lester nunca escutara.

Vasculharam a caravana toda; esvaziaram armários embutidos; abriram as malas meio-feitas de Madame Olympia; procuraram debaixo da cama.

Nada. Nem um sinal de Rover.

— Vêem? — disse a fada a zombar deles. — Podem até virar a caravana de pernas para o ar, que eu não me ralo.

Voou para fora da caravana e, pegando na pequena trouxa de lixo, dirigiu-se à fogueira, com um sorriso de triunfo.

Foi Arriman quem primeiro percebeu e correu atrás dela, seguido pelo ogre.

— Pára! Pára! Queremos ver o que vais queimar.

— Nunca! — gritou ela e riu-se.

Depois, levantou o braço em arco e atirou a trouxa para cima das chamas.

Arriman nem parou para pensar num dos feitiços que o tornavam resistente ao fogo ou que teriam abafado as chamas. Em vez disso, meteu a mão no braseiro e tirou para fora a trouxa, quase a pegar fogo.

No meio do lixo estava Rover, completamente seco e amarfanhado e com um ar espantado.

Belladonna estava sentada numa cadeira no Quarto da Torre, sofrendo de profunda melancolia. Quando viu a minhoca, saudou-a com um grito de alegria. Mas depois viu a mão do Grande Mago.

— Oh, Arry! Estás ferido! Que coisa horrível!

Então, pegou-lhe na mão, curvou-se sobre ela e começou a entoar uma das suas canções de curar, que falava da beleza da pele nova e da maravilha de termos cinco dedos e, quase de imediato, a dor desapareceu, assim como as bolhas.

— Meu anjo! Minha flor! Curaste-me! — exclamou Arriman, ficando cada vez mais enfatuado.

— Sim, mas este era o meu *velho eu* — apressou-se ela a responder. — O meu novo eu é bastante diferente, Arry. Se me deres Rover, vou mostrar-te.

O ogre entregou-lhe a minhoca que já tinha humedecido e enterrado na terra.

— Que gostarias de ver, Arriman? — perguntou. — Queres que transforme o ouropel em ossos a desfazerem-se, por exemplo? Ou os flocos de neve em feridas abertas? Gostas de *feridas abertas?*

— Adoro-as, meu anjo. São as minhas favoritas.

Belladonna fechou os olhos. Entretanto Arriman, o Sr. Leadbetter e o ogre puseram-se de pé e observavam.

A meia hora que se seguiu foi inesquecível para todos eles. Belladonna trabalhou sem parar, não permitindo nem por segundos que a tensão e a confusão lhe transparecessem no rosto. Por fim, pousou Rover e atirou-se para a cama, com um gemido de angústia.

— É inútil! — gemeu ela. — Completamente inútil. Tens de me esquecer, Arry. Tens de casar com outra. A minha magia negra desapareceu por completo!

Os outros olharam em volta do quarto mais uma vez. Os fios de ouro e prata ainda ali estavam, mas entre eles brilhava uma corrente com pequenas fadas de brincar. No meio de cada um dos belos flocos de neve ainda não derretidos, brilhava uma pérola perfeita. Mas foram os potes de flores algo carnudas que se tinham espalhado por todo o lado, que fizeram a voz de Lester, quando finalmente falou, soar como a voz dos túmulos.

— Begónias — disse o ogre, abanando a cabeça gigantesca. — Begónias em flor.

Foi neste momento de completo desespero que Arriman se mostrou um verdadeiro apaixonado.

— Meu anjo! — exclamou ele, pegando Belladonna nos braços. — Que importa? Podes encher o quarto com cravos ou com essas coisas carnudas, cor-de-rosa, que eu não me importo. Só tu me importas!

Mas, apesar de deixar a cabeça pousar por momentos no ombro de Arriman, Belladonna estava firme.

— Não, Arry; tens um dever. Lembras-te de qual era o motivo do concurso? «A magia negra acima de tudo», disseste tu. Imagina que tínhamos... Imagina que tínhamos... — a voz embargou-se-lhe, mas conseguiu controlar-se. — Imagina que tínhamos um bebé *branco*. Ou mesmo um cinzento? O que é que um bebé desses poderia fazer no meio de um labirinto endemoninhado, de um laboratório maléfico e de todas as coisas que tanto te esforçaste por ter? Como poderia um bebé branco manter a feitiçaria e a magia negra vivas na Terra? Tu não pertences a ti próprio, Arry. Pertences a toda a perdição e malfeitoria que existem no mundo e eu nunca me perdoaria se te fizesse esquecer o que está certo. — Nada que o desesperado feiticeiro pudesse dizer seria capaz de a demover. — Vou partir logo que arrume as minhas coisas — disse ela, conseguindo com esforço manter a voz firme. — Sou tão branca que acabaria por arruinar um auxiliar poderoso como esse; quanto mais longe estiver, melhor. Só preciso de me despedir de Terence e devolver-lhe Rover. — Virou-se para o Sr. Leadbetter e o ogre, que estavam encostados à porta, muito tristes. — Por falar nele, onde *está* Terence? Não o vejo há imenso tempo.

O ogre franziu a testa.

— Ele não estava no acampamento — respondeu.

— Tens a certeza? — perguntou o Sr. Leadbetter com rispidez. — Ele disse que ia até lá para ir buscar as coisas de Belladonna e ajudar as outras feiticeiras a arrumarem tudo. Tinha a certeza de que ele tinha lá passado a noite. Sabes como os miúdos gostam de tendas.

Por alguns momentos a grande tristeza que sentiam foi posta de lado, olharam-se uns aos outros com nova ansiedade.

Onde estaria Terence?

18

Nesse momento, Terence, estava fechado num quartinho escuro com janelas de barras, no lugar que mais receava e odiava em todo o mundo. Pois a pior coisa que podia acontecer a Terence, tinha acontecido. A Directora voltou ao normal, deu o alarme e ele foi capturado enquanto corria pela estrada em direcção ao acampamento. Agora estava de volta ao Orfanato. Acontecera tudo tão de repente que não teve hipótese de se defender. Um carro da polícia estava à espera do lado de fora dos portões (nem mesmo os polícias se atreviam a *entrar* em Darkington). Dois homens saíram do carro e agarraram-no e, antes de conseguir perceber o que acontecera, Terence estava dentro do carro e de regresso a Todcaster a grande velocidade.

Os polícias tinham sido bastante simpáticos e só lhe disseram que tinha sido estúpido fugir; as crianças acabavam sempre por ser apanhadas, disseram eles. Ao que parecia, um negociante que ia entregar as mercearias a Darkington tinha visto Terence na estação, no dia em que ele foi procurar a Menina Leadbetter e viu-o a comprar bilhete para Darkington.

Porém, se os polícias tinham sido carinhosos, a Directora recebeu o fugitivo com ar de triunfo. Não disse nada sobre o enraizamento; o mais provável era ter-se esquecido (depois de um enraizamento, há normalmente uma perda de memória), mas não esquecera o rancor contra Terence. E agora, depois de uma noite passada num colchão duro, apenas com uma tigela de papas desfeitas para o pequeno-almoço, ele estava à espera que ela o viesse castigar.

A porta abriu-se e a Directora entrou. Estava mais amarela e cada vez mais parecida com um camelo. Começou sem hesitação:

— Que havemos de fazer contigo? Bater-te? Mandar-te para Borstal? Fechar-te aqui de vez?

Continuou a ralhar e a ameaçar sem parar, enquanto Terence se aninhava contra a parede do quarto e se perguntava por que é que Deus não tinha dado às pessoas cortinas para os olhos e para os ouvidos, para que não escutassem sons horríveis como aqueles. Durante todo o tempo, os seus ansiosos pensamentos corriam até Darkington. Será que Belladonna já tinha dado pela falta de Rover? Arriman teria percebido que Lorde Simon não era real? Será que alguém daria pela sua falta e o procuraria ou pensariam que ele tinha fugido por não gostar da casa? Não, não podiam pensar isso, *não podiam*.

A Directora ainda estava de pé, inclinada sobre ele, a gritar e a vociferar, com o vapor das palavras feias a cair-lhe da boca, como se fosse uma baba. Ela teria adorado bater em Terence, ou atirá-lo contra a parede, mas depois tinha de se explicar aos inspectores de saúde que deviam estar a aparecer por ali. Alguém tinha tido a lata de lhe dizer que os seus métodos estavam desactualizados. Mesmo assim, havia imensas coisas que se podiam fazer e não deixavam marcas. Um beliscão debaixo do pulso, por exemplo. A Directora tinha um jeito especial para dar beliscões.

— Bom, meu rapaz, é bom que te lembres. Se deres um pio ou voltares a arranjar-me problemas, ficas preso neste quarto para o resto da tua vida, compreendes?

Terence disse que sim, acenando a cabeça. Nas curtas horas de regresso ao Orfanato, toda a sua alegria tinha desaparecido. Terence era capaz de aguentar a magia mais negra e até apreciá--la, mas a raiva e o desprezo, acabavam com ele.

E assim, a tristeza e a escuridão do Orfanato fecharam-se de novo sobre ele. Quando acabou de comer o peixe cozido com batatas à envelhecida mesa do refeitório, deixou que lhe inspeccionassem as unhas e calçou as galochas para o deprimente passeio que faziam quando não havia aulas — passavam pela fábrica de fórmica, viravam à esquerda junto às obras do gás e seguiam por uma rua de casas baixas. — Terence já quase tinha esquecido que, havia apenas algumas horas, a vida tinha sido uma coisa excitante e maravilhosa.

Mas, quando a fila, conduzida pela Directora Assistente, que se chamava Menina Kettle, atravessava a rua, aconteceu uma coisa estranha. Terence ouviu chamarem o seu nome e, levantando o olhar, viu a Menina Leadbetter, com um cesto de compras na mão, a acenar-lhe.

— Espera! — gritou ela. — Quero falar contigo!

Encaminhou-se para junto de Terence, ignorando a Menina Kettle, que dizia coisas sem sentido, no princípio da fila, e disse-

-lhe: — Era mesmo a ti que eu queria ver, apesar de não perceber o que fazes aqui. Pensei que estavas com o meu irmão.

— Estava — respondeu Terence. — Mas eles apanharam-me. — Olhou-a com ansiedade. — Se pudesse contar ao Sr. Leadbetter que eu estou aqui..., *por favor*. Eu não quero que ele pense...

— Anda, Terence Mugg, não percas tempo — ordenou rispidamente a Menina Kettle.

Mas a Menina Leadbetter, que já uma vez tinha atirado um actor bêbedo de uma escada abaixo, não se deixava intimidar.

— O que eu ia dizer — prosseguiu ela, curvando-se e falando depressa ao ouvido de Terence — era que tenho um recado do hospital. De Monty Moon. Ele pede desculpa por te ter estragado os planos. Foi a carrinha, a que pertencia ao electricista. Monty disse-lhe que os pneus estavam carecas, mas ele não ligou. Caíram por uma ribanceira abaixo, a caminho de Darkington e foram levados os três para o hospital. Foram só uns golpes e umas nódoas negras, mas o pobre Monty só saiu do hospital hoje de manhã. Era ontem à noite, não era, que ele ia fazer aquilo?

Terence fitava-a absolutamente espantado.

— Sim — respondeu ele. — Foi ontem à noite. Mas ele foi lá. Fez o que tínhamos combinado.

— Não foi não. O Monty, não. Está no hospital desde domingo, com o electricista e o director de palco. Nunca chegou a ir a Darkington. Era isso que o preocupava, por ter recebido 500 libras adiantadas.

Mas agora a Menina Kettle já estava farta. Deixou a frente da fila, pegou em Terence por um braço e arrastou-o consigo.

Terence não tentou resistir. Tinha demasiadas coisas em que pensar.

Se Monty não tinha ido a Darkington, quem apareceu por detrás da tapeçaria? Quem seria o cavaleiro que tinham *ressuscitado*? Seria o próprio Lorde Simon Montpelier?

Então, Belladonna tinha efectivamente conseguido! Mas Rover não estava com ela, isso era certo. A caixa que Terence lhe tinha dado estava vazia. E, sem Rover, Belladonna era completamente branca.

De onde teria a magia negra vindo? Que significava tudo aquilo?

— Tira o casaco, seu preguiçoso, e não fiques aí especado, a sonhar — bramiu a Menina Kettle, que herdara o tom da Directora.

Terence nem sequer a escutou.

A tarde tinha escurecido, as crianças estavam a comer pão com feijão. A Menina Kettle lia-lhes uma história acerca de um rapaz a quem cortaram os polegares e depois foram em marcha para a cama. Deitado na sua camita de ferro, olhando para a mesma racha no tecto, para qual olhara durante anos, Terence ouviu Billy, na cama ao lado, começar a soluçar e a chorar.

— Que se passa, Billy? — perguntou Terence.

— Tenho sede; quero beber.

— Por que é que não te levantas e vais beber alguma coisa?

— Tenho medo — respondeu o outro. Era um bocado surdo e ainda molhava a cama e acabava sempre por arranjar problemas.

— Eu vou lá — disse Terence.

Saiu da cama e caminhou descalço até ao corredor, dirigindo-se à casa de banho. A Directora e a Menina Kettle estavam a conversar no átrio do piso inferior. Estavam a falar dele.

— Ele só arranja problemas — concordou a Menina Kettle. — Mas sempre me pareceu, Directora, que não gostava especialmente dele.

— Não gostava? É claro que não gosto. E tenho muitas razões para isso. Olha!

Levantou a mão e a Menina Kettle observou-a.

— Está a referir-se a esse dedo pequeno?

— Sim — gritou a Directora. — Estou a referir-me ao dedinho. O dedinho que Terence Mugg mordeu e mutilou quando o trouxeram para cá. Era ainda um bebé de colo. Debrucei-me sobre ele para dizer «olá coisinha fofa». Como faço com todos os bebés. Ainda tenho dores pavorosas quando estou a fazer malha.

— Meu Deus — exclamou a Menina Kettle. — E ele só tinha três semanas, não era, quando o tiraram da cabina? É muito estranho!

— Tudo naquela criança é estranho. Ele dá-me arrepios. Sabes que ele nunca chora, façamos nós o que lhe fizermos? Nunca. Fica ali, com os olhos inchados e estremece com dores, mas nunca deitou uma lágrima desde que cá está. É muito estranho, isso é. Ainda hei-de descobrir o que se passa com ele!

Um ruído agudo vindo do cimo das escadas fê-las virarem-se. Terence estava de pé, no patamar, em pijama. Estava completamente imóvel, como se estivesse em estado de choque e o copo de água que tinha ido buscar para Billy estava estilhaçado a seus pés.

— Como te *atreves,* Terence Mugg? Como te *atreves* a sair da cama? Espera que eu já te digo. Desta vez foste longe de mais! Longe demais!

Terence esperou. Sentia-se um bocado esquisito. Sentia uma espécie de zumbido nos ouvidos e o patamar parecia estar a baloiçar debaixo dos pés dele.

A Directora estava no primeiro degrau… no segundo… Agora estava quase ao pé dele, os braços esticados para o agarrarem pelos ombros e o abanarem.

Terence respirou fundo. Fechou os olhos…

19

O Vigilante Mágico, regressado de uma viagem de que não tinha gostado nem um pouco, chegou a Darkington na manhã seguinte e, nisso as três cabeças estavam de acordo, era como regressar a um funeral.

Arriman e Belladonna estavam enroscados no sofá da Sala de Desenho, absolutamente desanimados, a olharem-se fixamente nos olhos. Belladonna tinha já arrumado o cesto de palha e dobrara a tenda e só estava à espera que Terence fosse encontrado para se ir embora de vez, para uma vida cheia de solidão, dor e begónias.

Mas parecia que Terence *nunca seria* encontrado. O Sr. Leadbetter (que quase tinha esquecido que o rapaz não era realmente seu sobrinho) telefonou ao hospital a saber se tinha havido algum acidente, mas ninguém tinha notícias dele e a ansiedade era pavorosa.

Entretanto, o Kraken não estava propriamente a ajudar. Andava de trás para diante a chamar «Papá» e «Mamã» a Arriman e a Belladonna e a molhá-los. Nem o assassino de mulheres tinha percebido o quanto todos estavam perturbados e andava de cima para baixo, a bater na testa e a arengar acerca de como tinha sufocado *Lady* Beatrice, estrangulado *Lady* Mary e batido em *Lady* Henrietta com um alabote.

Foi a esta cena de tristeza que o Vigilante Mágico chegou e não se escusou a dizer que esta não era a recepção que esperava.

Apesar de tudo, Arriman ficou contentíssimo ao vê-lo e apresentou-lhe Belladonna de quem o monstro gostou de imediato.

— Muito bonita — disse a Cabeça do Meio, olhando-a de cima abaixo.

— Melhor que aquelas raparigas com borbulhas em Brighton — acrescentou a Cabeça da Esquerda, que não se tinha sentido muito feliz à beira-mar.

— Quando é a boda? — perguntou a Cabeça da Direita.

Esta pergunta, trouxe de volta a tristeza e os dois amados recomeçaram a suspirar e a olhar-se nos olhos, deixando ao

Sr. Leadbetter e ao ogre a tarefa de explicarem os acontecimentos que tinham decorrido até à data.

O Vigilante Mágico fez os possíveis por animar todos, mas após meia hora durante a qual o Kraken tentou trepar-lhe pela cauda, Lorde Simon lhe contou, com todos os detalhes horríveis, o que *Lady* Olívia tinha dito ao criado e Arriman declarou pela centésima vez, que morreria sem Belladonna, o monstro estava farto.

— Vamos lá, animem-se — disse a Cabeça do Meio. — Isto está pior que Blackpool.

— Vamos sair e apanhar um pouco de ar fresco — sugeriu a Cabeça da Direita.

— Boa ideia — concordou a Cabeça da Esquerda. — Pelo menos, tiramos essa coisita da tua cauda.

E, depois de colocar o Kraken no chão com todo o cuidado, o monstro arrastou-se até ao parque.

Passou cerca de uma hora. O Sr. Leadbetter fez uma lista de esquadras de polícia e estava quase a pegar no telefone para tentar obter notícias de Terence, quando ouviu a enorme porta de carvalho no átrio abrir-se com grande estrondo. Depois ouviu-se o som de passos na escada, em seguida a Sala de Desenho abriu-se de rompante e o Vigilante Mágico entrou deslizando pela sala. As cabeças tremiam, os olhos faiscavam e era possível ver o coração a bater-lhe no peito. Nunca ninguém tinha visto o monstro neste estado e a sua agitação era tal que, por um momento, não conseguiu dizer palavra. Depois, a Cabeça do Meio começou e as outras duas juntaram-se-lhe, em coro.

— O novo Feiticeiro está a chegar!

— Ele *vem aí!*

— Verdade, *ele* vem aí!

Arriman levantou-se com os joelhos a tremer e foi até à janela, seguido por todos.

Aos tropeções, devido ao cansaço, com a sua pequena cara à altura das janelas da Casa, Terence Mugg caminhava pelo acesso.

20

Estás a querer dizer que não sabemos o que fazemos? — perguntou a Cabeça do Meio, parecendo muito zangada.

— E sabes? Enganaste-nos, sabes bem — respondeu a Cabeça
da Esquerda.

— Não, meu querido amigo — interpôs Arriman, que sabia
como o monstro era sensível. — É apenas..., bem vês, o sobrinho de Leadbetter. Temos estado todos muito preocupados com
ele. Tu não o conheces, é claro, não estiveste cá durante o concurso. O nome dele é Terence, Terence Mugg.

Terence estava sentado no sofá, junto a Belladonna, que cor-
rera para o receber e o trouxera quase ao colo para a sala. Estava
a dar-lhe sopa de couve-flor e banana, coisas com que tinha conseguido fazer uma magia, enquanto Lester ia à cozinha preparar
um bife.

Terence levantou-se. Estar com as pessoas que amava fizera as
suas bochechas ficarem muito vermelhas e espantara a fadiga do
seu olhar.

— Na verdade, Senhor — começou ele. — Na verdade, eu
acho que talvez... chegado aqui — Terence interrompeu-se,
porque era muito difícil de explicar. Ele próprio ainda não acreditava naquilo e tinha feito a pé o caminho todo, desde
Todcaster, em vez de tentar alguma coisa que pudesse não funcionar e lhe provasse o contrário. Ao invés, foi com a mão ao
bolso e tirou um bocado de cordel, o caroço de uma maçã, uma
borracha indiana e, finalmente, uma lata azul, com buracos.

Terence abriu a lata. Dentro dela estava uma aranha pequena,
com pernas peludas e uma cruz negra no dorso.

— Que é isso? — perguntou Arriman, enquanto se inclina-
vam para a frente, para observarem.

Terence engoliu em seco.

— É a Directora, Senhor — explicou ele.

E então começou a explicar, ficando gradualmente mais confiante enquanto a história se desenrolava. À medida que falava, a
voz foi ficando mais clara e a única coisa surpreendente era o
facto de ninguém antes ter suspeitado daquilo.

Começou por contar o que tinha ouvido no Orfanato e, enquanto falava, podia ver-se o bebezinho ao colo da Directora a morder-lhe o dedo, o que fez com que ela o odiasse para sempre. Podiam ver um rapazinho que nunca chorava porque os feiticeiros, tal como as feiticeiras, não podem derramar lágrimas. Mas este era um rapazinho que nada sabia dos seus poderes porque, ao contrário do Sr e da Sr.ª Canker, que tinham encorajado o seu Arriman, Terence cresceu num lugar onde as pessoas eram cegas e ignorantes.

E depois, quando conheceu Belladonna, continuou Terence, tinha sentido — não apenas carinho por ela (Todos adoram Belladonna —, disse ele), mas uma espécie de sentimento de *pertença* e, desde o primeiro momento, quando ela tentara enraizar a Directora, Terence tinha repetido os feitiços ao mesmo tempo que ela e trabalhou com ela e *sentiu* com ela.

— Tudo o que ela fazia — acrescentou ele — eu tinha de fazer e às vezes acrescentava uns feitiços da minha autoria. Só que eu pensava que a magia vinha de Rover; ambos acreditámos nisto. Eu tinha a certeza de que era Rover. Mas depois encontrei a Menina Leadbetter e ela contou-me que o Sr. Moon não tinha cá vindo por causa de um acidente. Mas Lorde Simon apareceu *realmente* e eu percebi que não podia ter sido Rover porque ele já tinha desaparecido. Portanto...

Mas esta parte era desconhecida de Lester e do Sr. Leadbetter e completamente incompreensível para Arriman e Belladonna, e Terence teve de parar para explicar tudo. Arriman ficou muito aborrecido por pensar que os seus criados tinham tentado pregar-lhe uma partida, mas quando lhe explicaram que o tinham feito apenas porque estavam certos de que Belladonna era a mulher certa para ele, Arriman ficou incapaz de fazer qualquer coisa.

— Bom — continuou Terence —, eu não consegui perceber o que tinha *acontecido*, porque sem a minhoca, Belladonna era completamente branca. Se não era ela, nem Rover, quem seria? E depois quando elas disseram aquilo sobre eu ter mordido a Directora quando era bebé, tudo se encaixou no lugar. E, quando ela subiu os degraus, fechei os olhos e... bem, aqui está ela.

E voltou a exibir a lata onde a aranha andava de um lado para o outro.

É fácil imaginar a alegria sentida quando Terence terminou a sua história. Belladonna abraçou-o e beijou-o, Lester pegou num sabre e meteu-o boca abaixo, de uma só vez e com grande alegria, Arriman pegou em Terence pela mão.

— Meu querido rapaz, que felicidade! Que alegria! Que alívio. Como vês, os nossos problemas estão resolvidos. Vais ficar a viver aqui e aprender feitiçaria e magia negra e eu e Belladonna podemos casar-nos e ser felizes para sempre!

— Oh, Arry pois é... podemos casar-nos! — exclamou Belladonna, correndo para os braços dele. — Agora, com um feiticeiro poderoso como Terence para tomar conta das coisas, já não importa a cor dos nossos bebés, pois não?

— Eu vou mesmo ser um feiticeiro *poderoso?* — inquiriu Terence com os olhos a brilhar de alegria.

Arriman virou-se para ele, com uma cara muito séria.

— Tens um grande dom, meu rapaz — disse ele. — Um grande dom. Fazer necromancia na tua idade! Eu nem teria sequer tentado. Se conseguisse fazer vir o trovão antes do relâmpago já me dava por satisfeito. Acredito sinceramente que vais alargar as fronteiras da feitiçaria e da magia negra até lugares nunca imaginados. Há muito trabalho a fazer, é claro, mas tu compreendes, estou certo.

— Oh, sim, Senhor. Vou trabalhar até à *exaustão.*

No meio de toda a agitação e felicidade que se seguiram, alguém deu ao Vigilante Mágico os agradecimentos devidos. O monstro estava sentado, com a alegria estampada nas três faces, a receber os parabéns que justamente merecia.

— Sim, é um alívio — disse a Cabeça do Meio, abanando graciosamente. — Não adianta fingir que não é.

— Aqueles novecentos e noventa e nove dias de espera deram cabo de nós. — acrescentou a Cabeça da Esquerda. — Isto para já não falar nas frieiras.

— Tudo está bem quando acaba bem — sentenciou a Cabeça da Direita.

Havia apenas uma pequena contrariedade, que o Sr. Leadbetter, depois de chamar aparte o seu amo, lhe comunicou.

— Se Lorde Simon for real, o que parece verificar-se, que lhe acontecerá agora? Porque se mais alguém souber das desaparecidas *Lady* Mary, *Lady* Júlia ou *Lady* Letitia, vai haver mortes e não será ele o autor.

Arriman assentiu com a cabeça. Tinha-lhe passado pelos olhos uma sombra de maldade.

— Em boa verdade, Leadbetter, acabei de ter uma ideia óptima acerca de Lorde Simon. Uma ideia mesmo muito boa. Mas primeiro vamos fazer a festa de casamento. Quero convidar toda a gente. A começar por todas as feiticeiras que participaram no concurso.

— Até mesmo Madame Olympia, Senhor? — perguntou o Sr. Leadbetter, franzindo a testa.

Ariman sorriu.

— *Especialmente* essa — respondeu ele.

21

O dia do casamento chegou e, de todo o lado vieram duendes, diabretes, fúrias e demónios, para partilharem a felicidade de Arriman e conhecerem o novo feiticeiro, cuja chegada tinha sido prevista por Esmeralda e cujo poder se dizia ser ainda maior que o do próprio Arriman.

Era impossível imaginar um casal mais bonito que o formado pelos noivos. Arriman tinha posto as suas hastes e um manto estampado a ouro; a vestido preto de Belladonna era largo e no cabelo apenas tinha posto um único morcego. Era o morcego pequeno que tinha inventado a Tia Screwtooth na reunião das feiticeiras e que tinha vindo especialmente para estar com ela neste grande dia.

Ao centro da mesa, sobre uma almofada de veludo azul, que o ogre tinha equipado com um borrifador, estava Rover, com o seu ar rosado e calmo, agora que se tinha concluído que não era um poderoso auxiliar, mas sim uma simples e vulgar minhoca. Do lado oposto, numa cadeira alta, estava sentado o Kraken, que não parava de guinchar, cheio de entusiasmo. Belladonna tinha conseguido pôr-lhe uma fralda, apesar das suas oito pernas e, com a parte de baixo envolvida em musselina branca, parecia, como dissera Terence, quase uma dama de honor ou um pajem.

Nenhum dos amigos tinha faltado. O Sr. Chatterjee voou directamente de Calcutá e o espírito deixou o seu matadouro. Até a Menina Leadbetter, apesar de não ter nada a ver com magia, estava lá. Foi ela quem trouxe notícias da nova Directora do Orfanato de Sunnydene, uma senhora gorda e simpática, que era adorada pelas crianças. (A antiga Directora tinha sido deixada à solta no Jardim das Rosas, onde era muito útil a comer pulgões verdes e outros insectos, como as aranhas costumam fazer.)

Todas as feiticeiras lá estavam. Apesar de muito terem escarnecido de Belladonna, agora que ela era a Sr.ª Canker e a Feiticeira do Norte, todas se apressavam a ser simpáticas.

Belladonna, é claro, perdoou-lhes tudo. E não só; quando a festa começou a esmorecer um pouco, pousou a mão no braço de Arriman e perguntou-lhe:

— Arry, não achas que podíamos conceder um desejo a cada um dos nossos convidados? Não é isso que se deve fazer numa festa de casamento?

— Bem, meu tesouro, se assim desejas. É claro que satisfazer desejos não é exactamente magia *negra*. Mas num dia tão feliz como este… O melhor é deixarmos Terence fazer isso; vai ser uma boa oportunidade de ele praticar.

Contar tudo o que os duendes, diabretes, fúrias e demónios queriam seria demasiado fastidioso, além do mais, o que quase todos desejavam era dinheiro. O Sr. Chatterjee não precisava satisfazer nenhum desejo porque tinha trazido com ele a princesa Shari (a que tinha sido um pinguim) e estava noivo, prestes a casar-se. O espírito e a Menina Leadbetter não ligavam muito aos desejos e Ethel Feedbag tinha adormecido com a cabeça sobre o prato e não conseguiram acordá-la.

Mas a Maga Bloodwort sabia exactamente *o que queria*.

— É aquele feitiço para voltar a ser nova — pediu ela a Terence. — Sabes que não consigo fazê-lo como deve ser, mas tu consegues. Gostava de ter vinte anos, ou talvez dezoito. O meu nome era Gladys Trotter e gostava de ficar bem vestida.

Mas quando o desejo lhe foi concedido, a Maga ficou a olhar para o espelho, espantada com a jovem que tinha sido; o olhar tinha uma expressão estranha.

— Não gosto — afirmou por fim. — Peço desculpa, mas vais ter de desfazer o feitiço. Esta carne tão cheia e estas bochechas tão rosadas… E *para que* quero eu todo este cabelo?

Portanto, Terence desfez o feitiço e a velhota voltou contente para a sua choupana, onde viveu feliz por muitos anos. Umas vezes era uma mesa de café e outras uma feiticeira, mas não fazia mal a ninguém porque se esquecera de como o fazer.

Depois, foi a vez de Mabel Wrack e o que ela *queria* era transformar as pernas na cauda de uma sereia. Disse que estava farta de ter comichão e de andar com Doris dentro do balde de plástico, de lado para lado; além disso, sentia-se mal pela forma como tinha tratado as tias.

— Pois, no fim de contas, a água é mais espessa que o sangue e não há nada melhor do que uma família molhada — disse Mabel. — Portanto, se depois de fazeres a tua magia, me atirares daquele rochedo além, eu depressa as encontrarei.

Então, os convidados, contentes por irem apanhar ar fresco, depois de tanta comida, dirigiram-se ao Caldeirão do Diabo e Terence deu a Mabel uma esplêndida cauda e duas guelras para ela poder respirar debaixo de água. Belladonna deu a Doris um beijo de despedida, entre os repugnantes olhos vermelhos. Mabel fez-se às ondas, todos o puderam ver com clareza, um conjunto de braços maternos que levaram a feiticeira e o polvo para além da espuma.

Quando Nancy Shouter disse ao rapazinho *o que queria*, Terence empalideceu. Pois o que ela queria era pouco menos que o impossível. Queria que ele desfizesse o feitiço do buraco sem fundo, o virasse de dentro para fora e visse, se algures no vazio, a sua irmã Nora podia ser encontrada.

— Eu não sei se sou capaz de fazer isso — replicou Terence, com ansiedade.

Mas com a mão de Arriman pousada no ombro a dar-lhe confiança, caminhou corajosamente até ao Prado Oeste, seguido pelos outros convidados.

Se até àquele momento alguém tinha duvidado de que Terence era um grande e poderoso feiticeiro, todas essas dúvidas se dissiparam. Terence foi até ao buraco, onde havia letreiros a dizerem: «Não se aproximar!» e derrubou-os. A seguir, com os sapatos, apagou o pentágono de protecção. Depois, deu uns passos em frente e falou para dentro do buraco.

Ninguém escutou as palavras proferidas. O que se passou entre ele e o buraco permanecerá em segredo até ao fim dos tempos. Mas o buraco obedeceu-lhe: reconhecia o seu amo e, com um grito amedrontador, um estremeção e um enorme solavanco, acabou com a falta de fundo, virou-se às avessas e, do fundo encontrado, arrastou o corpo amassado da desorientada gémea de Nancy Shouter.

— Nora! — gritou Nancy, correndo para a irmã e espantando as galinhas na corrida.

— Nancy! — gritou a outra, correndo para os braços da irmã.

Sem se preocuparem com os outros, as duas irmãs ficaram frente a frente, abraçaram-se e riram de alegria.

Depois:

— Estás bem desarranjada — exclamou Nancy. — Estás toda amarrotada.

— É claro que estou amarrotada, sua idiota — replicou Nora. — Que esperavas? Não me devias era ter atirado para dentro do buraco.

— Eu não te atirei, foste tu quem caiu.

— Não caí.

— Caíste.

Discutindo alegremente, as duas pegaram nas galinhas e foram-se embora.

Mas quando Terence, levado em ombros pelos convidados, regressou ao Salão de Festas, para conceder a Madame Olympia o *seu* desejo, encontrou a cadeira dela vazia, à excepção de um par de espartilhos, roídos pelas traças, que ela trouxera da feira de velharias em Portobello Road e envenenara no Salão de Beleza. Aparentemente, tinha regressado a Londres — e com ela tinha ido, nada mais, nada menos, que Lorde Simon Montepelier!

— Então o meu plano funcionou! — exclamou Arriman, a esfregar as mãos de contente.

— Eu diria que sim — retorquiu o ogre. — Pus o filtro do amor nas bebidas de ambos, como me mandou e devia tê-los visto! Ele de joelhos a pedi-la em casamento e a medir-lhe o pescoço para uma corda de forca ao mesmo tempo. E ela a aceitar o pedido e a examinar-lhe os molares para ver como ficariam no colar. Quase morri!

— Fazem um bom par — respondeu Arriman. — Pergunto-me qual dos dois acabará com o outro primeiro. — Virou-se para Belladonna. — Sou esperto ou não, gatinha?

E Belladonna, fitando-o com adoração, respondeu:

— És a pessoa mais esperta do mundo!

Mas a melhor parte de qualquer festa é quando os convidados partem e deixam a família sozinha, cansada e feliz.

Terence estava deitado no tapete, conversando com Rover; Lester afiava a espada que o ajudava a adormecer. Arriman tinha tirado as hastes e ele e Belladonna estavam aninhados no sofá, enroscados um no outro, a fazerem planos para o futuro. Iam construir uma casinha no outro lado do parque — perto da casa, mas não demasiado, para que Terence aprendesse a desenvencilhar-se sozinho. Arriman ia escrever um livro e o Sr. Leadbetter já estava a imaginar o feiticeiro a misturar as páginas e a estragar a fita da máquina de escrever e a pôr o papel químico do lado errado.

Toda a gente se sentia tão feliz e contente que demorou algum tempo até que percebessem que o Vigilante Mágico não estava muito bem. Os olhos redondos do monstro estavam estranhamente húmidos e autorizara o Kraken a deslizar-lhe pela cauda, como se não se importasse com nada.

— Passa-se alguma coisa? — interrogou Arriman. Agora que reparava, o Vigilante Mágico não tinha estado bem durante a festa. Quase não comera e parecia fazer um esforço enorme para falar.

O monstro abanou a cabeça.

— Não é nada — respondeu a Cabeça do Meio, em voz baixa.

— Nada de especial, realmente — acrescentou a Cabeça da Esquerda.

— Só estamos a armar confusão — concordou a Cabeça da Direita.

Nesta altura, já todos estavam desesperados, é claro. Terence, que adorara o monstro desde a primeira vez que o vira, pousou Rover e foi para junto dele, muito preocupado.

— Por favor — pediu Arriman —, tens de nos contar o que se passa! É para isso que servem os amigos. Para partilharmos as coisas com eles.

O monstro deu um profundo suspiro.

— Bem — começou a Cabeça do Meio. — É bastante óbvio, não acham?

— Isto é, para que servem os Vigilantes Mágicos? — acrescentou a Cabeça da Esquerda.

— Servem para anunciar a chegada de novos feiticeiros, não é? — continuou a Cabeça da Direita.

— Portanto, quando o feiticeiro chega, o Vigilante Mágico deixa de ter utilidade.

— É uma espécie de *sobra*, não é?

— Poderia até dizer-se, inútil. Dispensável. Acabado — concluiu a Cabeça da Direita, tentando esconder uma lágrima.

Fez-se um silêncio pesado, enquanto todos tentavam perceber a dor e a tristeza do monstro.

Depois, Belladonna deu um passo em frente, com os olhos iluminados.

— Como *podem* ser tão tolas? — perguntou ela às três cabeças. — Sabem muito bem que os Vigilantes Mágicos não servem *só* para procurar feiticeiros. Servem também para *cuidar* dos feiticeiros. Pensei que todas sabiam isso. Terence pode ser um feiticeiro poderoso, mas ainda é muito novo — prosseguiu Belladonna, enquanto o rapaz acenava com a cabeça.

— E muito magrinho — acrescentou a Cabeça do Meio.

— Subnutrido, pode dizer-se — confirmou a Cabeça da Esquerda.

— Acho que um copo de *Cergumil* a meio do dia não lhe fazia nada mal — disse a Cabeça do Meio.

— E uma sopinha à noite, ainda menos. Eu sempre disse que não há nada melhor que sopa quente.

— E bastante ar puro...

Todos respiraram de alívio. O monstro retirou-se para um canto, ocupado e interessado, e podia-se ouvi-lo a estabelecer uma rotina segundo a qual o jovem feiticeiro podia fazer todas as suas maldades, mas com *conta, peso e medida*.

— Vais ficar bem, agora — disse Belladonna, puxando o rapaz para junto dela.

E o feiticeiro, que nos anos vindouros ficaria conhecido como Mugg, o Magnífico, Esfolador de Tolos e Senhor das Trevas, olhou-a, com olhos brilhantes e cheios de cor e disse:

— Oh, sim. Ninguém no mundo ficará melhor que eu!

Estrela do Mar